Dis, papa, l'amour c'est quoi ?

Jacques Salomé

Dis, papa,
l'amour c'est quoi ?

Albin Michel

En préambule...

- -

L'amour n'est pas mesurable à ce qu'on fait. L'amour vient sans raison, sans mesure, et il repart de même. Quand il est là on ne peut plus rien. En son absence on peut écrire, si on veut écrire. Avec un peu de chance l'écriture touche à une vérité. On la mettra au frais d'un livre, on rangera le livre à côté d'autres. Et c'est tout, et c'est inutile, et on sait bien que les livres sont inutiles, qu'écrire vaut ne pas écrire, que rien ne compte que cette fleur cueillie après la fin du monde, cette rose jaune dans les mains longues, une vraie parole d'amour, enfin une vraie pensée, enfin une parole juste, donnée dans le silence, reçue dans le silence...

Christian Bobin

- -

Quelques préliminaires tout d'abord.

Ils sont destinés aux adultes qui voudraient se lancer dans cette aventure de clarification et de partage au sujet de l'amour, avec l'un ou l'autre de leurs enfants.

Mon propos s'adresse essentiellement à des femmes et à des hommes qui souhaiteraient dans leurs réponses ou leurs tentatives d'exploration de ce vaste sujet ne pas leurrer leurs enfants, ou veiller à ne pas entretenir des mythologies et des fables, des songes et des menSONGES, autour de ce qui est peut-être la plus belle aventure humaine, la plus magique, mais qui risque aussi de se révéler la plus destructrice, la plus catastrophique ou la plus tragique des expériences, quand on se laisse prendre dans les dérives de l'amour.

Je m'adresse à des adultes en interrogation, prêts à renoncer à leurs propres illusions ou à lâcher quelques-uns de leurs mythes ou de leurs croyances.

À des adultes qui pressentent que l'amour ne suffit pas à l'amour ou qui, du moins, ont vérifié dans leur vie que ce n'est pas en ajoutant de l'amour à l'amour qu'on parvient à entretenir sa flamme ni à enrichir les relations créées ou instituées en invoquant son nom.

À celles et à ceux qui peuvent envisager des perspectives peut-être moins prestigieuses que celles de l'amour romantique, mais plus concrètes et solides. Et qui seraient prêts à se lancer dans un projet plus réaliste et lucide, fondé sur l'idée que c'est surtout en apprenant à nourrir la qualité de la relation qu'on la vivifie.

Je m'adresse aussi à des adultes que l'amour sait encore

faire rêver. L'amour ne saurait se réduire à un cours d'anatomie, ou d'éducation sexuelle.

Car il n'y a pas, me semble-t-il, de lois à l'amour. S'il en existe... je ne les ai pas découvertes.

L'amour demeure totalement irrationnel et donc imprévisible. Ce qui ne l'est pas, en revanche, ce sont les conduites relationnelles, les comportements et l'incroyable décalage qui se glisse parfois entre les attentes de l'un et les réponses de l'autre.

Ce qui menace le plus l'amour, ce n'est pas l'amour, c'est la nature de la relation.

Ce qui blessera le plus l'amour, au-delà de la trahison, c'est le non-respect de quelques règles d'hygiène relationnelle qui en sont la sève.

Ainsi l'amour, tel un beau navire, est-il confié trop souvent à des mains inexpérimentées.

Il arrive quelquefois aussi qu'il y ait bien trop de capitaines à bord pour se saisir du gouvernail, pour affronter les risques de la tempête qui le maltraitera, pour profiter des éclaircies qui l'embelliront ou traverser l'accalmie qui l'amènera tantôt à dériver dans l'incertitude, tantôt à chavirer jusqu'à sa perte.

Ainsi l'amour garde-t-il à nos yeux cette part de mystère qui nous attire tellement et parfois nous égare.

Entre le tabou sur l'amour et le tout-dire de l'amour, entre le trop de réalisme et le tout-angélisme, il reste un espace de rencontre parents-enfants au sujet de l'amour. Un espace fondé sur le constat rassurant que ne pas tout savoir sur l'amour n'a encore jamais empêché quiconque de vivre, ni d'aimer.

Qu'est-ce que l'amour ?

Le domaine de la vie dans lequel l'expérience ne sert à rien. Bien plus et bien pire : la sensation du neuf fait partie du vertige.

Qui n'a pas, à chaque rencontre, l'impression de débarquer dans l'aube d'un premier jour du monde, celui-là, on peut dire qu'il n'aime pas.

Erik Orsenna

Nostalgie...

Je me souviens de ce jour-là. Nous étions seuls, toi et moi, dans la voiture qui dévalait vers le Midi des vacances. Tu avais neuf ans et, pour la première fois, ma petite espiègle, tu m'as demandé à brûle-pourpoint, d'un ton grave et enjoué à la fois :

– Dis, papa, c'est quoi l'amour ?

Tu m'as ensuite posé de nombreuses fois cette même question avec des variations autour du thème de l'amour, au fur et à mesure que tu grandissais.

Et chaque fois, avec constance, balançant entre courage et désespoir, j'ai tenté de sonder l'immensité de cette incroyable interrogation qui avait tant bouleversé ma vie : « Mais c'est quoi l'amour ? »

J'ai mis longtemps à entendre que toute tentative de répondre à un tel sujet est fondée sur un double malentendu.

L'enfant qui s'interroge et qui sollicite son papa ou sa maman est persuadé que l'adulte sait ce qu'est l'amour, alors que même devenus parents, nous n'en restons pas moins des apprentis de l'amour.

La tentation pour l'adulte est souvent de vouloir

rechercher la réponse dans un savoir, une expérience ou un témoignage, tandis qu'elle est impalpable et insaisissable comme le vent, fluide comme une source, et fragile comme un songe aux différentes époques de notre vie.

– Dis, papa, c'est quoi l'amour ?

Il m'est revenu tes premiers étonnements quand tu avais quatre ans. Tu étais dans la baignoire et ta maman te lavait, j'étais entré et je l'avais embrassée dans le cou. Tu t'étais écriée, radieuse :

– Ah, vous êtes amoureux ?

Et sans attendre tu avais poursuivi :

– Ben, c'est comme moi alors, avec Julien, comme tata avec tonton !

Tu n'avais pas attendu de réponse ce jour-là. Tu avais tes propres certitudes.

Et cinq années d'expériences d'enfant s'étaient écoulées depuis ; cette fois ta question attendait réponse... J'ai d'abord été surpris, je suis resté perplexe, comme j'avais déjà pu l'être face à d'autres questions que tu m'avais posées sur les mystères de la vie que tu découvrais chaque fois avec un étonnement renouvelé. Puis, j'ai cru que la réponse attendue nécessitait une explication claire, rassurante, un démontage logique, une analyse éventuelle des différentes composantes de l'amour. Avant de réaliser que tenter de répondre à cette question, c'était prendre le risque de se précipiter dans un abîme sans fond ni fin, et de s'y perdre épuisé et insatisfait. Au pire, c'était s'aventurer à affronter en soi l'enchevêtrement de sentiments mélangés, contradictoires et mouvants, surtout mouvants, de sensations multiples et chatoyantes. Au mieux, c'était découvrir que nous sommes des infirmes, des analphabètes de l'amour, que nous en devenons les artisans ou les artistes besogneux, dans l'aléatoire d'une rencontre ou au travers d'une pratique faite d'ébauches et d'esquisses, d'improvisations, de propositions, d'ouvertures, d'accueils ou de réticences, d'élans et de peurs.

Nous tombons dans l'espace de l'amour comme des apprentis astronautes sortant de leur capsule ou de leur vaisseau spatial, pour faire leur premier pas dans un univers où la porosité soudaine des apparences nous ramène sans cesse dans un espace frontière, à la lisière entre réel et imaginaire, rationnel et irrationnel, certitudes et doutes, sans aucun repère ni la moindre référence pour nous aider.

En amour, d'un seul coup, nous avons tout à découvrir et à apprendre : apprendre à respirer, à marcher, à voir et à toucher, à parler, à ressentir, à anticiper.

- -

On est toujours prévenu de tout dans l'amour, et toujours l'inattendu arrive.

Jean d'Ormesson

- -

Au premier questionnement : « Dis, papa, c'est quoi l'amour ? » avait succédé toute une série de questions, d'interpellations et d'affirmations qui tentaient de traquer le réel de l'amour et peut-être déjà tes propres doutes ou tes premières craintes.

♥ Comment as-tu su que tu aimais, papa ?
♥ Est-ce qu'on peut aimer encore, quand on n'aime plus ?
♥ Comment tu sais que tu es aimé ?
♥ C'est quoi la différence entre être amoureux et aimer ?
♥ Est-ce qu'on peut aimer sans avoir été amoureux ?
♥ Est-ce qu'on peut aimer deux personnes avec le même amour ?
♥ Quand on n'aime plus, comment on le sait ?

Autant de questions qui me poussèrent à explorer les coins, les recoins, les sentiers, les chemins et les abîmes de mes propres sentiments. Qui me laissèrent souvent interrogatif, amusé, stimulé, parfois démuni. Car certaines débouchaient sur des expériences qui m'étaient étrangères et sur d'autres que je ne voulais pas reconnaître ou que je ne tenais pas à retrouver dans mes souvenirs.

L'amour, océan immense, qu'une seule vie terrestre ne suffit pas à explorer, est traversé de tempêtes, parsemé d'îles et d'oasis, malmené par des vents contraires ou apaisé par des alizés toujours trop fugaces, impétueusement omniprésents. L'amour, à cette époque de ma vie, me persécutait, du moins je le croyais, alors que c'était moi qui le maltraitais, le violentais, moi qui voulais extirper de lui l'impossible. Oui, j'attendais de l'amour : l'impossible. Je lui donnais comme mission de réparer toutes les blessures de mon histoire passée, de combler tous mes manques, de prévoir, d'atténuer et d'amortir l'insupportable, de me protéger contre les désillusions, les déceptions et les trahisons passées et à venir.

En amour, nous accostons sur certaines plages, nous touchons à certaines rives, nous abordons sur des terres plus fermes, et ensuite il nous faut découvrir, apprivoiser, apprendre des langages, construire, s'implanter, vendanger ou moissonner.

– Comment as-tu su que tu aimais, papa ? demandas-tu la bouche pleine de Nutella et de confiture de framboises sauvagement (ou délicieusement) mélangés.

– Parfois, ce fut immédiat, instantané, une sorte d'évidence que cette femme – car dans mon cas c'était une femme – ... là, je manque de mots... attends que je précise. Oui, c'est ça. Tout au début de ma vie amoureuse, ce fut comme un tremblement de terre, plus rien n'était stable. D'autres fois je me mettais à rire bêtement, tout me semblait joyeux et heureux, le mal n'existait plus, les problèmes n'étaient d'ailleurs même plus des problèmes, la vie scintillait. Enfin des trucs comme ça, tu vois, totalement imprévisibles et drôles. Cela peut commencer aussi par une sorte de chaleur intérieure. Le bleu du ciel devient plus doré, les gens plus beaux, plus gentils. Mon corps bascule, il s'incline, devient tout de guingois, tous mes sens sont tournés vers celle que j'aime.

Ma tête est envahie de son image, ma bouche est pleine de mots, de déclarations que je me récite et que je voudrais pouvoir lui chuchoter, de paroles que j'aimerais tant lui entendre me murmurer.

– C'est tout ça l'amour ? Quel mélange !

– C'est complexe, tu sais, et difficile à repérer. L'amour, c'est un ensemble de sensations qui se rassemblent d'un seul coup en toi. Des sensations que tu peux avoir vécues dans d'autres situations, mais dans le désordre, et qui, soudain, se cristallisent, deviennent si denses qu'elles prennent toute la place en toi. Au début c'est plutôt diffus, puis ça s'impose, comme si, d'un seul coup, tu retrouvais quelque chose d'oublié ou de perdu que tu avais toujours connu et qui est là, présent, soudain accessible, familier. Oui, comme si on le savait depuis toujours...

D'autres fois, l'amour est semblable à une petite graine. Un germe s'est déposé en toi sans que tu t'en aperçoives et il te fait tout d'abord t'écrier avec beaucoup de sincérité, à propos de quelqu'un : « Oh, celui-là (ou celle-là) je ne l'aime pas ! » ou encore : « Je ne peux pas le supporter... » Et puis cette petite graine grandit et un jour, elle jaillit, elle explose, elle prend une place insoupçonnée. Et là tu ne peux plus le cacher, ni le nier. Même les autres le voient ! C'est une évidence qui s'impose même à toi : tu aimes.

– Alors des fois l'amour se cache comme pour mieux te surprendre ?

– Oh, il n'a pas besoin de se cacher ! Il s'impose tellement à toi qu'il devient le plus important pour toi. Quand je te parle d'une graine qui se dépose en toi sans que tu t'en aperçoives, ce n'est pas tout à fait juste. Ça, c'est quand tu ne prêtes pas assez attention à ce qui se passe à l'intérieur de toi, comme lorsque tu peux te laisser distraire pendant les leçons en classe. Parce que si tu sais être centrée et attentive aux pulsations de la vie en toi, tu peux entrevoir que quelque chose n'est pas comme d'habitude, tu sens un bruissement qui s'agite et qui grandit. Des frémissements, des battements nouveaux dans ton cœur. Tu rougis, tu bégayes, tu deviens plus joyeuse et plus belle en présence de l'autre, tu fais des trucs que tu n'as jamais faits, tu vis plus vivante.

— Moi, je rougis pas, mais c'est comme ça que je suis tombée amoureuse de mon copain. Quand j'ai vu ses joues à lui qui devenaient toutes rouges et qu'il me regardait avec des yeux d'amour.

— Et c'est comment, des yeux d'amour ?

— C'est des yeux tout ronds et blancs, des yeux gentils, ils sont pas rouges et pleins de veines qui ressortent comme les yeux de colère, et pis des fois tu vois qu'ils brillent, mais c'est pas non plus des yeux tristes de larmes, c'est des yeux qui brillent comme les étoiles. C'est comme ça que j'ai su que Sébastien il m'aimait. Au début, je le trouvais pas très mignon mais quand, un jour, je me suis assise tout près de lui et que j'ai vu ses joues rouges et ses yeux brillants, là je l'ai trouvé beau avec ses cheveux en brosse. Moi, d'abord, j'aime mieux les timides parce que, j'ai remarqué, quand un garçon est timide et qu'il veut te dire quelque chose, il ose pas tout de suite. Alors comme ça tu as le temps d'attendre et de te demander : « Qu'est-ce qu'il veut me dire ? », et si c'est ton amoureux tu te demandes quand il va te dire qu'il t'aime... Mais qu'est-ce que tu disais qu'on peut faire encore quand on aime ?

— Tu peux te surprendre à faire plein de choses, tu peux te mettre par exemple à écrire des poèmes, tu peux chanter, siffler, tu deviens plus tolérante, plus aimable....

— D'abord, les filles elles sifflent pas, elles peuvent pas !

— Eh bien si, justement, certaines filles se mettent à siffler, à changer de coiffure, de marque de soutien-gorge ou de rouge à lèvres.

— Mais moi, j'ai pas besoin de soutien-gorge comme maman. D'ailleurs, j'en porterai jamais, moi !

— Je te parlais plutôt des jeunes filles. Certaines se mettent à porter des wonderbra ou au contraire des corsages plus pudiques. Parce qu'en même temps, vois-tu, l'amour réveille des timidités, des peurs.

— Oui, moi j'ai peur d'être ridicule quand je marche devant Sébastien, alors je me mets plus en jupe... J'ai pas envie de tomber devant lui et qu'il me voie les fesses à l'air !

— Il y a aussi tout un remue-ménage dans la tête, des pensées parasites. Dans ces moments-là, je ne sais si cela t'arrivera, on se met à s'interroger beaucoup sur la vie et sur la mort, sur l'injustice et sur le malheur. On essaie d'imaginer ce que va penser l'autre de nous, on se dédouble en quelque sorte, on ne pense pas beaucoup à soi, on se met à se demander surtout ce que l'autre pense de nous-même.

— C'est vrai ça : quand on aime, on se met à penser à plein de choses sur l'autre !

— On n'arrête pas d'y penser : il se crée même de drôles de mélanges ou de confusions en nous, au risque de nous conduire à faire des choses, non plus en fonction de soi, mais en fonction de l'image que l'on croit que l'autre a de nous.

– Attends, attends papa, c'est trop compliqué, tu ne peux pas me le dire avec des mots plus simples ?

– Justement, c'est pas simple ! Je vais te donner un exemple personnel. Quand j'avais neuf ans, j'étais amoureux de la petite Marion et je ne voulais surtout pas le lui dire. Comme elle habitait trois maisons après la mienne, chaque matin, pour partir à l'école, j'étais prêt bien longtemps avant l'heure. J'attendais qu'elle sorte, pour débouler juste au moment où elle passait devant chez nous. En même temps, comme je ne voulais pas qu'elle croie que je faisais tout ça pour elle, je changeais immédiatement de trottoir. Alors je pouvais la voir marcher comme si j'étais près d'elle sans qu'elle se rende compte que je la suivais.

– Dis donc, il était pas très top, ton plan !

– Attends... c'est pas fini... Le soir, en rentrant, c'était encore plus compliqué parce qu'il fallait passer devant l'école des filles. Il y en avait toujours plein qui ricanaient ou qui me regardaient comme si j'étais un martien ! Alors là, ma stratégie se déroulait en trois temps. D'abord, je m'arrangeais pour sortir parmi les premiers de la classe, et je courais comme si j'avais un besoin urgent. Deuxième temps, je filais dans la direction opposée à ma maison pour contourner l'école des filles par une rue parallèle, et là, j'attendais que Marion veuille bien déboucher cinquante mètres plus haut. Troisième temps, je me mettais à courir sur le même trottoir, je la rattrapais en faisant semblant d'être essoufflé, et juste en arrivant à sa hauteur je m'éloignais d'un petit pas sur le côté, pour l'éviter... Je continuais encore quelques mètres en courant, puis je ralentissais comme épuisé, enfin, surtout ému... et là, je savais qu'elle n'allait pas tarder à passer tout près de moi. Elle ralentirait, s'arrêterait peut-être, me parlerait sûrement, me demanderait si j'allais bien. Je ne sais pas si elle me regardait, mais moi j'avais plein d'yeux derrière la tête. Je la voyais s'avancer toujours de son même pas, si calme... Eh bien, vois-tu, pas une seule fois elle ne m'a dépassé ! Ensuite je montais les trois marches de ma maison, j'ouvrais la porte, je jetais juste un petit coup d'œil pour l'apercevoir. Je fermais, j'attendais un peu, ouvrais, ressortais, tentais de la voir une dernière fois, avant les devoirs ou la corvée des commissions à faire chez l'épicier de l'avenue. Une fois, je me suis quand même planté dans mon scénario, pourtant bien calculé et rodé. Je suis sorti trop tôt et j'ai bien failli la renverser... Elle se tenait avec une jambe relevée, appuyée sur la troisième marche en train d'arranger quelque chose sous sa jupe. La honte ! La honte d'avoir pu lui faire honte, d'avoir pu la mettre mal à l'aise ! Ah ! le malaise ! J'en ai été malheureux pendant quinze bons jours. Et, là encore, je ne te raconte que le minimum. Il y avait aussi le coup de l'église...

– C'est quoi le coup de l'église ? Il me semblait que tu ne croyais pas en Dieu ?

– Je ne crois pas en Dieu, c'est vrai, mais à l'époque je fréquentais l'église et j'y croyais un peu, surtout en fin de semaine quand j'avais fait trop de bêtises et que j'avais besoin de me faire pardonner ! Alors, de temps en temps, je tentais de m'appuyer un peu sur Lui. J'espérais qu'il se montrerait tolérant, indulgent, compréhensif et bien-veillant. Mais les enfants ont trop de désirs et, à force, Il ne sait plus où donner de la tête. En gros, Dieu, tu ne peux pas trop compter sur Lui. D'ailleurs s'Il voyait tout ce que font les hommes en son nom, Dieu ça lui donnerait envie de se suicider.

– D'abord il ne peut pas mourir, il est éternel, Dieu...

– Peut-être qu'il ne peut pas mourir, mais il peut quand même décider par lui-même de se tuer ou de disparaître ! S'il le faisait, d'ailleurs, je suis sûr que cela réveillerait les consciences. Les hommes seraient bien obligés de se prendre enfin en charge !

– On est loin de l'amour avec tout ça, papa ! Sitôt qu'on discute d'un sujet sérieux, tu pars dans tous les sens !

– C'est que l'amour touche à tout, je veux dire qu'il concerne tous les aspects de la vie.

- -

> **On peut tout dire de l'amour. Tout ce qu'on dit est vrai, et le contraire aussi.**
>
> **Jean d'Ormesson**

- -

En général nos échanges s'épuisaient dans les labyrin-thes et les ramifications insoupçonnées de ses associations, de ses sentiments ou des miens, et surtout ils s'étiraient jusque dans les méandres de nos imaginaires sur cette question insondable : « Mais c'est quoi l'amour ? » Et puis, un matin, à moins que ce ne soit un soir, dans la voiture ou dans la salle de bains, des questions nouvelles, fraîchement écloses revenaient sur le tapis, se précisaient.

– Est-ce qu'on aime toujours quand l'autre ne nous aime plus ? Est-ce qu'on peut aimer quelqu'un qui nous ment ? Est-ce qu'on peut aimer encore quand on n'aime plus ?

– Ta dernière question renvoie à bien d'autres interrogations et touche au profond de l'amour. Attends, que je mette un peu d'ordre dans mes idées et dans mes sentiments. Tu me poses beaucoup de questions et tu vois que je tente d'y répondre, mais tu remarques sûrement aussi que mes réponses sont parsemées de trous ou de zones d'ombre. C'est dans ces trous que se met à l'abri la part de mystère de l'amour. L'amour garde plein de secrets et de trésors cachés. Et tu vois, ces secrets-là, ils restent bien gardés.

Quand tu parles de ne plus aimer, il faut déjà savoir qu'il y a beaucoup de façons de ne plus aimer. Comme nul ne sait à l'avance la durée de vie d'un amour, nul ne peut prévoir non plus quand et comment il se terminera ou quand il mourra. Le plus souvent on en perçoit les effets après coup. C'est parfois le résultat du désamour.

– C'est quoi le désamour ? Je n'ai jamais entendu ce mot.

– Tu aimes quelqu'un pendant des années et cet amour est bon pour toi et semble bon pour lui, et puis un jour, en t'interrogeant avec un peu plus d'honnêteté que d'habitude, tu découvres que tu ne peux plus appeler amour les sentiments qui t'habitent. Ils peuvent être de l'ordre de l'affection, de l'amitié, de la tendresse, de l'admiration et même de la compassion, mais tu sens tout au fond de toi que ce n'est plus de l'amour et qu'il manque quelque chose. Tes sentiments n'ont plus le même goût, ils ont changé de saveur.

— Alors c'est comme quand on n'aime plus ce qu'on aimait avant ? Moi, j'aimais les chips, je les déteste aujourd'hui... Je trouve ça plat ! Je me demande même comment j'ai pu faire pour les aimer avant !

— C'est un peu plus complexe que ça, ma toute naïve... Le désamour est une des perturbations intérieures les plus désespérantes que je connaisse !

— Tu as désaimé quelqu'un, toi, papa ?

— Oui, mais je préfère ne pas en parler pour l'instant. Nous aurons bien le temps d'y revenir un peu plus tard...

— Dis, papa, c'est quoi alors la compassion ? C'est encore un mot que je ne connais pas.

— C'est vrai, je suis obligé de recourir à des tas de mots pour tenter de t'expliquer. C'est que nous n'avons qu'un seul terme en français pour parler de l'amour. Un seul verbe pour dire que tu aimes les frites, ton copain, ton papa, ta maman, ton chat ou ton chanteur préféré. Dans l'Antiquité, les Grecs avaient inventé plusieurs mots pour mieux s'y retrouver. Ils distinguaient[1] entre plusieurs

---

1. Pour en savoir plus, on pourra lire *L'Impasse ou l'issue*, entretiens de Marie de Solenne avec Jean-Yves Leloup. D'autres auteurs ont aussi traité de ce sujet, des philosophes comme André Comte-Sponville dans son *Traité*

sortes d'amour. Il y avait *pornéïa*. C'est l'amour du bébé qui n'aime pas encore sa maman comme une vraie personne parce qu'à cet âge-là il n'a pas les moyens de la reconnaître entièrement. Il l'aime alors comme s'il l'aimait par petits bouts, en quelque sorte. On pourrait dire aussi qu'il l'aime de façon parcellaire. Il l'aime pour le lait qu'elle lui donne, pour les yeux pleins d'admiration qui se penchent vers lui, pour les sourires qui lui montrent qu'il est adorable, pour les oreilles grandes ouvertes qui absorbent le bruit de ses pleurs ou de ses cris. Il aime sa maman pour les mains qui le savonnent et le sèchent, pour celles qui le changent quand il est tout mouillé, pour la peau qui le caresse, pour les lèvres qui lui font des bisous et des papouilles partout, pour la voix qui lui fredonne des chansons rien que pour lui et qui lui gazouille des mots doux. Et aussi pour les bras qui l'accueillent au réveil et qui le déposent au creux de son lit au moment de dormir.

– Oh, je sens que je l'aime bien, moi, cet amour-là !

– Chacun de nous l'aime. Nous en gardons longtemps la nostalgie, mais attention, le bébé aime les soins, les bercements, pour tout le bien-être qu'il ressent au contact de sa maman ou de celle qui la remplace à cette période de sa vie, tous ces soins qui l'enveloppent dans un cocon de tendresse. Cet amour-là est un amour de « consommation » nécessaire et vital, beau et bon pour la sécurité de base de l'enfant encore immature et dépen-

---

des grandes vertus et Sigmund Freud, bien sûr, en son temps et à sa façon, a parlé de l'amour sexuel, de l'amour de soi, de l'amour pour les parents ou pour les enfants, de l'amitié et de l'amour des hommes en général.

dant de cet âge. Mais cet amour peut se prolonger parfois jusqu'à un âge avancé de la vie adulte, ce qui explique que celui qui se sent aimé de cette façon se sent parfois dévoré.

– Oh, j'aime pas me sentir bouffée par l'autre !

– Un autre mot, dont tu entendras parler, pas toujours à bon escient d'ailleurs, c'est le mot *éros*. *Éros*, ce serait l'équivalent de l'amour amoureux vraiment tourné vers l'autre auquel nous accédons parfois, mais que nous réclamons toujours. *Éros* était un dieu chargé de donner des ailes à *pornéïa*, autrement dit de le transformer, de le faire évoluer, de l'éveiller et de l'élever pour le rendre plus mature, plus noble et plus beau. Pour qu'il devienne un amour centré sur la personne aimée et non pas seulement sur ce qu'elle peut nous donner ou nous procurer.

– Oui, c'est quand on est aimé pour soi-même, tel qu'on est, même quand on fait des bêtises !

– C'est un amour gratuit offert inconditionnellement, sans contrepartie demandée à l'autre. C'est un amour qui nous donne à nous aussi des ailes, qui nous rend créatif, plein d'idées, généreux et tout ça...

– On devient plus beau et meilleur alors ?

– Exactement, mais c'est un amour rare...

– Il y a d'autres amours rares ?

– Il y a aussi *philia*. C'est quand tu peux dire à quelqu'un : « Je t'aime d'amitié, je t'aime comme un ami. » C'est un amour basé sur un échange et un partage, quand chacun peut donner et recevoir, qu'il est un recours et un soutien pour l'autre et qu'il l'aide à aller vers le meilleur de lui-même.

— Moi, j'ai plein de *philia* en moi. Au moins trois *philia* importants.

— Oui, j'imagine que tu penses à Kévin, Marie et Isabelle...

— Surtout Marie et Isabelle, parce que Kévin, c'est encore qu'un petit *philia* pour l'instant.

— Et puis il y a encore un mot plus rare : *agapé*. Ce mot-là pourrait correspondre à la compassion dont je te parlais tout à l'heure. C'est un amour à la fois profond, et plus large que l'amour amoureux, mais moins personnalisé, que nous ressentons à l'égard de quelqu'un, du genre humain ou de son prochain, comme on disait quand j'allais au catéchisme.

— Oui, Ophélie, elle dit toujours qu'il faut aimer les autres comme soi-même.

— Aimer les autres comme soi-même à condition de pouvoir ou de savoir s'aimer... sinon ce n'est pas beaucoup. Dans notre culture, nous avons entendu et retenu que cette phrase était une injonction à aimer les autres. Après tout, c'est peut-être une phrase à méditer et qui veut dire : c'est comme tu t'aimes toi-même que tu aimes les autres... À voir comment nous nous aimons si peu ou si mal souvent, aimer les autres c'est ne leur laisser qu'une portion congrue...

— Comment ça ? Agape, je croyais que c'était quand on mangeait des bonnes choses ensemble ?

— *Agapé*, pas agape... C'est un amour dans lequel il n'y a pas de désir physique, comme le désir de faire l'amour. C'est un amour de bienveillance, de reconnaissance et d'acceptation de l'autre tel qu'il est. C'est une sorte d'amour gratuit, à sens unique, dans lequel on se sent capable d'accueillir l'autre sans jugement et sans avoir besoin d'être accueilli par lui. Cet amour-là nous fait toucher au divin en nous, il nous permet de pouvoir aimer, même ceux qui ne nous aiment pas...

— C'est quoi faire l'amour ?

— Oh ! là ! là ! tu me lances sur un sujet difficile.

Elle me coupa.

— De toute façon, je sais ce que c'est. C'est aller plus loin...

— Plus loin que quoi ?

— Ben, plus loin que juste s'embrasser sur la bouche. C'est quand le papa il met son zizi dans celui de la maman.

— Aller plus loin c'est donc aller plus près, alors ? Mais bon, puisque tu sais, continuons plutôt sur l'amour...

— Oui, mais les mamans elles n'ont pas de zizi, alors comment ils font ? Comment elle fait, elle ?

— D'accord, elles n'ont pas de zizi, mais elles ont bien un sexe, une chiffounette comme tu dis !

— Alors, le zizi des papas il rentre dans la chiffounette des mamans !

— C'est ça, tout à fait ça !

Grand silence...

Je ne me sentais pas prêt à détailler la sexualité d'un couple, encore moins celle de ses parents qui était à l'époque en difficulté. Je préférais attendre ses questions.

Il faut dire que, sur ce sujet-là, ce n'est pas moi, son

père, qu'elle questionna. Elle se tourna, je crois, vers sa grand-mère maternelle, qui lui répondit, semble-t-il, avec une liberté et une aisance qui, tout en m'étonnant (je la croyais plus coincée !), eurent pour effet de me soulager considérablement...

Une autre fois elle me demanda :
— Le désamour c'est comment ? J'ai pas bien suivi l'autre fois.
— L'amour est comme un feu. Parfois c'est un feu d'artifice plein de lumières, parfois c'est un feu de paille qui flambe très vite, et parfois encore c'est un feu qui dure beaucoup plus longtemps. Mais il arrive que l'amour que j'éprouve pour quelqu'un s'éteigne comme un feu qui a brûlé tout son bois, comme un bâtonnet d'encens qui a diffusé tout son parfum en se consumant.
Le désamour, c'est comme un trou d'ombre, un gouffre sans fond à l'intérieur de soi. Tu sentais de la lumière et de la vie dans ton cœur, et un jour c'est tout gris, tout sombre, puis ça devient tout vide, ça n'a plus le goût du bon, l'odeur du tendre, c'est sec, c'est froid. Tu as l'impression que tout le reste de ton corps se ratatine, se referme et que ta tête se vide de ses rêves. Le désamour ne fait plus rêver, ni désirer. Le signe, je crois, le plus évident, c'est quand on n'a plus envie de faire des projets ensemble, quand on ne pense plus à faire entrer l'autre dans ses rêves.
— Ah bon... Moi je n'ai pas encore senti tous ces trucs !
— Tu te souviens, nous en avons déjà parlé une fois ! On ne peut pas commander à ses sentiments. Je ne peux pas me dicter d'aimer ou de ne pas aimer quelqu'un.

– Moi, je me dicte bien de détester un copain ou une copine à l'école !

– Oui, tu crois que tu décides de tes sentiments, mais en fait ce que tu veux exprimer, me semble-t-il, c'est plutôt ton désir de ne pas rester en relation avec quelqu'un, de ne plus jouer ou échanger avec tel garçon ou telle fille de ta classe, par exemple quand il n'a pas été gentil avec toi, quand il ne veut plus te parler, ou que tu es vexée parfois ! À ce moment-là, tu peux peut-être faire semblant de le détester pour voir comment il va réagir, tu peux simuler de l'indifférence ou feindre du désintérêt. Mais quand tu es dans le désamour, c'est autre chose. Tu ne le fais pas exprès ou volontairement pour faire réagir l'autre ou pour le tester.

Cela m'est arrivé une fois. Il y avait une grande tristesse en moi, un regret immense, comme si j'étais passé à côté de quelque chose d'essentiel. Sans que je puisse pour autant parvenir à définir ce qu'aurait pu être cet essentiel. C'était comme une tristesse sans larmes. J'étais désespéré de ne plus pouvoir aimer celle que j'aimais jusqu'alors. Je me sentais souffrir autant qu'elle qui ne se sentait plus aimée par moi. C'est une situation sans issue, avec le sentiment de tourner en rond, d'avoir gâché ou maltraité quelque chose qui aurait pu devenir beau.

– Et alors, comment ça s'est terminé ?

– C'est elle qui a pris sur elle, je crois. Elle a renoncé à la relation. Elle ne m'a plus jamais parlé, elle a fait comme si je n'existais plus. Elle ne me voyait plus, ou disons que j'avais l'impression de n'être plus vu par elle. Je me souviens même de la tentation que j'ai eue de la relancer ou de me rapprocher. Je cherchais à me persuader, je me répétais pendant quelque temps : « Peut-être que ça va revenir, comme avant... Peut-être qu'au fond de moi je l'aime encore... »

— Au fond, c'est elle qui t'a largué, papa, et tel que je te connais tu ne l'as pas supporté ?

— C'est un peu ça... Dans le désamour ne restent souvent en présence que deux souffrances qui ne peuvent pas se rencontrer et qui pourtant s'accrochent désespérément l'une à l'autre. Il y a une infinie tristesse dans le désamour, une tristesse mélancolique qui ne sait pas vraiment pourquoi elle est devenue toute triste.

— Mais papa, des fois l'amour peut changer. Tu te souviens quand j'étais petite, il y a très longtemps...

— Oui, il y a au moins un an de cela !

— J'aimais beaucoup mon poupon, tu sais celui dont le bras tombait toujours, et puis un jour je ne l'ai plus aimé parce que je préférais ma poupée. Je sentais au fond de moi que tout mon amour se détournait de mon poupon pour se porter vers elle. Lui, je ne le voyais même plus au fond du coffre à jouets, c'est comme s'il ne faisait plus partie de ma vie, ma poupée prenait toute la place.

— Oui, les amours changent, évoluent, ne vont pas toujours dans la même direction et surtout pas en même temps, ni à la même vitesse pour l'aimant et pour l'aimé.

Là, nous avons cessé notre échange car elle s'est rappelé que c'était l'heure du feuilleton « débile » (mon point de vue), « passionnant » (son point de vue) et « indispensable à la santé psychique d'une préadolescente » (les amies de sa mère).

Elle suit méticuleusement le chemin qui va de l'éblouissement au lent naufrage. Où est l'erreur, la faute ? Quand ont-ils commencé à se désaimer ? Inutile. Elle refait mille fois le parcours. Elle ne découvrira rien de plus. Trop d'éléments lui échappent, de son côté à lui surtout. Qui connaît qui ?

Colette Nys-Mazure

Dis, papa, est-ce qu'on peut aimer deux personnes en même temps ?

Quelques mois plus tard a surgi un thème d'actualité pour elle.

– Quand on aime quelqu'un et qu'on en aime aussi un autre, comment ça se passe ?

– Pas toujours bien, plutôt mal, même. Il y a effectivement parfois dans une relation d'amour quelques situations difficiles et délicates à aborder. Quand un autre amour a surgi en toi, quand de nouveaux sentiments naissent ou sont apparus pour quelqu'un d'autre, alors que tu éprouves toujours des sentiments forts pour le premier...

– Oui, c'est ça, je les aime pareil !

– Pareil ça m'étonnerait, mais peut-être que tu les aimes tous les deux à la fois, ou plutôt... chacun en même temps. Enfin, dans la même période de ta vie... Comme cette semaine...

– Oui, cette semaine j'aime Vincent et Nicolas.

– Ah bon, cette fois c'est Vincent et Nicolas les heureux élus ?

– Ils sont pas élus, c'est pas les élections, on les a déjà élus, les délégués de classe. Je les aime, c'est tout !

– Je voulais dire que c'est toi qui les avais choisis avec ton cœur...

– C'est Nicolas, il a pas vu que mon cœur était déjà occupé, il est rentré dedans sans prévenir. Alors moi j'ai fait de la place pour les deux !

– Parfois, effectivement, deux amours peuvent cohabiter. Tel homme peut aimer de façon différente deux femmes, telle femme peut se sentir porteuse de deux amours... et suffisamment ouverte et libre pour les accueillir tous les deux.

– Alors, on peut aimer deux personnes en même temps sans qu'elles soient jalouses l'une de l'autre ?

– Ne mélangeons pas tout. Il y a celui qui aime, et celui qui se sent aimé. L'aimant peut se sentir parfois en sécurité dans l'amour qu'il éprouve pour son aimé et découvrir un jour, avec beaucoup de culpabilité, qu'il est aussi attiré par un autre. Celui qui est aimé peut vouloir être aimé de façon exclusive, sans partage. Il peut se sentir menacé, déstabilisé en sentant ou en découvrant que celui qu'il aime a d'autres amours ou d'autres attirances. Vincent peut souffrir de ton attirance pour Nicolas et toi te sentir gênée, mal à l'aise d'être attirée aussi par Nicolas, et en même temps tu peux être gênée et mal à l'aise de la souffrance de Vincent !

– C'est quoi exactement une attirance ?

Cela se passait souvent ainsi quand une de mes réponses était trop impliquante : elle faisait le break en changeant de sujet, en reprenant une formulation ancienne ou encore en me parlant abruptement de l'un de ses professeurs...

34

— Une attirance c'est une attraction, un mouvement, une aspiration vers quelqu'un. Tu as le désir d'aller vers lui, comme une faim soudaine de t'approcher, de le toucher ou d'être touché par cette personne. Elle est comme un aimant, mais le mouvement c'est bien toi qui l'amorces. C'est bien toi qui as été attirée par Nicolas ou qui as répondu à son attirance. Tu n'as pas résisté à ce mouvement de lui vers toi et de toi vers lui !

— Alors, quand on est attiré, on ne peut pas résister ! On est foutu alors, quand on est attiré par quelqu'un ? C'est la galère !

— Pas du tout, on peut accepter d'être attiré ou on peut résister. Même si cette résistance devient un combat à l'intérieur de soi, on reste quand même illuminé, brillant au-dedans.

— Dis, papa, l'amour vu comme ça, ça me paraît un peu inquiétant. On n'est jamais vraiment tranquille alors, quand on aime ?

— Je crois que le sentiment amoureux amène rarement la quiétude, puisque c'est une sorte d'ébullition ou de révolution en nous, un grand remue-ménage... Car l'amour, qui nous rend parfois si créatif, si enthousiaste et si fort, est aussi capable de nous rendre vulnérable, fragile ou perdu. Parfois aussi, un ressenti ambigu nous traverse, on devient jaloux...

— Ça, je le sais ! Moi, l'an passé j'étais mal quand j'ai su que Kévin était allé en vacances chez les parents de Julie. En même temps, je n'aurais pas voulu qu'il vienne en vacances avec nous ! J'aurais juste aimé qu'il reste tout seul, pour ne penser qu'à moi tout le temps... J'aurais

voulu qu'il ne s'intéresse qu'à moi et pas aux autres filles, qu'il ne les regarde même pas...

— Ce n'est pas tout à fait de la jalousie, c'est un sentiment de possessivité, d'appropriation affective. Le jaloux sera celui qui ne se sent plus aimé ou mal aimé par l'aimé. Le jaloux est souvent plus préoccupé par son amour-propre que guidé par son amour. Il ne supporte pas que celui qu'il aime et qui l'aime puisse en aimer un autre.

Mais je croyais que tu voulais surtout me parler, non pas du jaloux, mais de celui qui se sent habité par deux amours, comme ce que tu vis avec Vincent et Nicolas ? Sur un autre plan, tu as déjà découvert qu'il est possible de m'aimer et d'aimer aussi ta mère, et bien d'autres personnes importantes de ta vie.

— Oui, mais c'est pas pareil, tu mélanges tout, papa ! Les parents forment un tout. Moi je peux t'aimer et aimer maman en même temps, sans problème, c'est naturel, même si parfois quand ça va mal avec un, j'aime un peu plus l'autre. Je vous aime tous les deux ensemble et je peux vous détester tous les deux séparément.

— Je te crois tout à fait, même si je pense que tu nous aimes ta mère et moi différemment. C'est comme moi : je vous aime, tes frères, tes sœurs et toi différemment. Je ne vous aime pas pareil. J'aime chacun avec un amour unique et particulier.

— Oui, oui, je sais, tu nous l'as déjà dit. Tu nous l'as même montré avec des objets, des symboles comme tu dis, pour bien nous faire comprendre, comme si on était des demeurés ou des simples d'esprit qui ne pigent rien à rien ! Des fois tu es pénible, papa, quand tu veux

36

expliquer les choses de la vie et que tu me donnes l'impression d'avoir une réponse à tout.

— C'est simplement que je me demandais si tu avais bien saisi...

— Pour comprendre, j'ai bien compris. Ça fait déjà longtemps que je t'entends, j'ai l'habitude même si au début ça a été difficile à avaler parce que moi je pensais que « j'étais trop entière et que je pouvais pas partager » ! Tu pourras l'expliquer à ma copine Delphine, quand elle viendra pour mon anniversaire. Elle, elle dit : « D'un côté je sais que mes parents m'aiment puisqu'ils me le disent tout le temps, et d'un autre côté je crois que c'est du baratin tout ça, ils disent peut-être n'importe quoi. Je sais pas si c'est la vérité, je suis pas vraiment sûre si c'est vrai que mes parents ils m'aiment... »

— C'est bien parce que je me rends compte que ce sont des choses difficiles que j'insiste parfois, des notions qui n'ont rien à voir avec l'intelligence, d'ailleurs !

— Papa, quand même ! J'en ai discuté avec ma copine Isabelle. Elle, elle est d'accord. Ses parents, ils lui disent sans arrêt à elle et à son frère, quand elle est jalouse – parce qu'elle croit qu'il n'y en a que pour lui : « Mais on vous aime pareil tous les deux ! » Elle en a marre de cette réponse, elle ne la supporte plus, elle la connaît par cœur, tellement elle l'a déjà entendue. Elle, elle ne veut pas être aimée pareil que son frère. Elle veut être aimée comme tu nous aimes toi, en particulier, comme des enfants uniques !

— Oui, c'est ça, des enfants uniques, même dans une famille nombreuse ! C'est possible d'aimer ses enfants comme si chacun était unique, avec un amour unique qui est né avec chacun des enfants et qui est nourri par la relation qui se développe entre chaque parent et chaque enfant. Mais, bon, revenons à l'amour amoureux si tu veux bien !

– Alors là, c'est toi qui as envie d'en parler, papa ! Mais ça m'intéresse aussi !

– L'amour amoureux a quelque chose de fondamentalement différent de l'amour parental. Je te rappelle que l'amour parental est offert par les parents justement pour permettre à leurs enfants de les quitter un jour et de construire leur propre vie de façon autonome. L'amour amoureux, lui, est un amour de partage, de création pour tenter de rester le plus longtemps possible ensemble. Si je rencontre quelqu'un que j'aime d'amour, c'est en général pour essayer de rester longtemps dans la relation et même de tenter de vivre avec lui, de former un couple...

– Ça, papa, c'est quand on est adulte ! Quand on est jeune comme moi, on ne pense pas à vivre ensemble, mais à s'aimer, à se sentir en confiance, à se faire du bien, à discuter ensemble...

– Mais attention, être amoureux et aimer ce n'est pas pareil ! Être amoureux, c'est être semblable à un feu, on brûle, on danse, on explose à l'intérieur. On est comme dans une spirale qui nous porte vers l'autre. Celui dont on est amoureux devient d'un seul coup notre seul horizon, il devient à lui tout seul une grande partie de l'univers.

– Oh ! là ! là ! ça peut faire peur, ça peut foutre la trouille alors, le sentiment amoureux !

– Parfois oui. Le sentiment amoureux peut flatter celui ou celle qui le reçoit, mais il peut l'inquiéter en même temps. Le sentiment amoureux ne trouve pas toujours un écho, une réponse de même nature chez l'autre, il y a des différences, on n'est pas sur la même longueur d'onde, il y a parfois des ajustements à prévoir. Tu vois, je crois par exemple, pour compléter ce que je te disais tout à l'heure, qu'on peut aimer deux personnes en même temps mais qu'on ne peut pas tomber amoureux de deux personnes en même temps. Le sentiment amoureux est global et se focalise sur la totalité de la personne. Il ne fait pas de détail, il est du genre impérialiste et absolutiste, il envahit tout, il recouvre tout. On ne peut être amoureux que d'une seule personne à la fois.

Le sentiment d'amour, lui, est plus... comment dirais-je ?... plus posé, plus dense, plus grave. Il pense à demain, il pousse à construire, à faire des projets, il a besoin de s'appuyer sur l'amour de l'autre. Il réclame une réciprocité.

Mais tu sais, de même qu'il y a des milliards d'êtres humains, il y a une infinitude de relations d'amour. Comme chaque étoile dans le ciel est différente, chaque amour est unique et différent.

– Ce doit être fatigant, alors, d'aimer !

– Épuisant, mais tellement bon...

Et de but en blanc :

– Comment tu as su que tu aimais maman ?

Cette question-là est revenue souvent. Tout se passait comme si tu cherchais un modèle fiable, résistant à toute épreuve sur lequel t'appuyer sans crainte.

– Euh... c'est assez compliqué... Ça s'est passé en plusieurs étapes. Tout d'abord quand je l'ai vue la première fois, j'ai pensé qu'une femme aussi belle, aussi intelligente, aussi élégante, aussi class...

— Ouais, c'est vrai, elle est comme ça maman, tu as raison ! Elle est class... chouette !

— Oui, j'ai pensé qu'elle ne pourrait jamais, au grand jamais, s'intéresser à un type comme moi. À côté d'elle je me sentais mal dégrossi, une sorte de barbare. Près d'elle, je prenais conscience que je manquais d'éducation, que j'étais un peu inachevé...

— Tu mettais tes doigts dans le nez ? Tu mangeais avec ton couteau dans la bouche ? Tu crachais par terre ?...

— Pas tout à fait mais presque...

— Mais dis-moi... comment tu as senti que tu l'aimais, maman ?

— Je te l'ai déjà raconté cent fois...

— Oui, tu me l'as racontée, la rencontre, mais j'aime bien que tu me redises encore. La première fois où vous vous êtes embrassés, oui, je sais tout ça. Même que mamie, elle m'a aussi raconté que vous faisiez l'amour et plein de câlins dans leur appartement quand ils partaient en vacances. Elle m'a dit qu'elle faisait exprès de partir avec papi pour vous laisser le temps de vous connaître, et elle a même ajouté : « Il valait mieux qu'ils se connaissent d'abord, on ne sait jamais après, s'ils ne s'entendent pas bien avec leurs corps... »

— Ah, elle t'a parlé de ça, mamie ?

— Oui, de ça et de plein d'autres choses encore, que je ne peux même pas te dire, parce que tu rougirais et que tu serais mal à l'aise.

— Ah bon, je rougirais ! Je ne rougis pas souvent pourtant...

— C'est parce que tu es bronzé, ça ne se voit pas, mais moi je sais que tu rougis à l'intérieur quand tu es gêné par une question directe.

— Ah bon, tu crois ça ?

— Si tu insistes, je peux même te dire qu'elle t'a vu une fois tout nu en entrant sans frapper dans la salle de bains... et que ça l'a fait rougir elle aussi !

— Bon, bon, je préfère ne pas savoir !

— Alors, comment tu as su que tu l'aimais, maman ?

— Je crois qu'elle l'a su avant moi. C'est elle qui a fait le premier pas. Et moi, dans son regard, dans le reflet de ses yeux, je me suis découvert aimant. C'était tout nouveau pour moi, je croyais avoir déjà aimé, mais là, cette fois, c'était quelque chose d'inconnu, quelque chose de doux, de vibrant comme un printemps qui se serait prolongé jusque dans l'été.

— C'est tout ?

— Oui, c'est tout, mais c'était plein, c'était charnu, formidable et magique. Je ne sais pas comment te dire. J'ai un peu oublié, c'était tout au début !...

— Ah bon, tu as oublié. Ça s'oublie des choses comme ça ? Je vais être obligée de demander à maman, alors, si je veux en savoir plus !

— Mais bien sûr, avec ta mère tu vas en apprendre plus. Déjà qu'on n'est pas d'accord pour savoir qui a embrassé le premier ! Elle prétend que c'est moi, alors que moi, je suis certain que c'est elle. Elle avait l'habitude de m'embrasser, depuis quelque temps, sur les deux joues, et ce jour-là, dans le couloir de la fac, sa bouche s'est arrêtée sur la mienne. Alors, le couloir s'est élargi, les autres étudiants se sont désintégrés, ils ont complètement disparu. J'ai senti que le sol tremblait, je ne sais pas pourquoi, et l'air était parfumé comme d'une odeur de fraise. Quand j'ai ouvert les yeux, nous étions seuls dans ce même couloir, elle et moi. J'avais encore la douceur de ses lèvres sur les miennes. Je peux te dire que des baisers comme ça, il n'y en a pas beaucoup dans le monde !

— Oui, mais depuis, vous vous êtes embrassés des millions de fois ! Vous faites que ça tous les soirs quand vous croyez qu'on est couchés !

— Qu'est-ce que tu racontes ? Moi je trouve plutôt qu'on s'embrasse moins depuis quelques années !

— Alors c'est que votre amour est usé, il est fatigué ?

— Ça, ma curieuse, c'est une question qui nous concerne, ta mère et moi. Nous en parlons tous les deux, entre nous, parce que ça appartient à notre intimité, ce sont des sujets de conversation entre adultes... Mais bon, reprenons, de quoi parlions-nous déjà ? De ce qui s'est passé entre ta mère et moi à la première rencontre ?

— On parlait des choses de l'amour...

Ce jour-là, la discussion bifurqua sur la façon de danser le rock, sur les hommes qui prennent les femmes comme un paquet, sans faire le moindre effort :

— Ils font du sur-place et ils appellent ça danser ! Tu as vu, papa, les vrais hommes, eux, ils prennent soin de leur cavalière, ils sont aux petits oignons avec elles. Ils s'accordent.

– Oui, ils s'accordent...

À ce moment j'ai eu besoin de faire un petit arrêt technique pour remettre mes idées et mes émotions en place. Et comme tu étais une insatiable questionneuse, ou tout simplement une enfant ordinaire et tout à fait normale, tu es revenue souvent sur ce thème de l'amour.

- -

> Rien n'est plus prodigieux que de voir une
> très jeune fille faire ses gammes d'amour.
> Elle ne sait rien mais elle sait tout.
>
> Jean d'Ormesson

- -

Alors j'ai souvent profité de quelques pages blanches pour continuer à te parler et à te dire ce que j'avais découvert sur l'amour, sans prendre le risque à ce moment-là d'être coupé, assailli de commentaires et de jugements à l'emporte-pièce.

Sinon, comment te dire que l'amour amoureux se construit sur un leurre tenace : celui de sa pseudo-éternité, de son invulnérabilité. D'une certaine façon, il tente de nier ce qui est le propre du vivant sur terre : l'impermanence.

Tout change, tout évolue, rien ne se répète, rien ne se reproduit à l'identique, chaque instant est unique. Et beaucoup d'entre nous ne sont pas préparés à accepter qu'un amour, en tant que sentiment, va naître, se développer, croître ou décroître et mourir, c'est-à-dire aller vers sa propre finitude, dans l'ordre de l'accomplissement, de la plénitude, du regret, du souvenir, de la mélancolie, de la nostalgie ou de sa disparition lente ou brutale, sans appel.

Nous allons, du moins pour certains d'entre nous – toi par exemple, ma sensible, ma blessée de fraîche date –, mettre longtemps à découvrir que les amours les plus durables, celles qui ne meurent jamais, sont celles qui peuvent allier à la dimension terrestre affective, émotionnelle, charnelle, une ouverture vers le spirituel dans laquelle le sens du sacré pourra trouver sa place. Autrement dit, les amours qui ajoutent quelque chose, de l'ordre du divin, à la dimension humaine, ont semble-t-il plus de chances de se construire sur des fondements solides et donc de durer.

Rappelle-toi également, mon idéaliste, même si nous leur donnions toi et moi un autre sens ou des significations différentes, que les plus belles histoires d'amour parlent surtout des amours impossibles, d'amours qui finissent mal ou trop vite, d'amours blessées, maltraitées ou encore d'amours rêvées et idéalisées !

Toute la littérature universelle, les grandes œuvres de tous les temps tentent de nous avertir, mais tout se passe comme si chacun d'entre nous voulait relever le défi, chercher à affirmer et à démontrer :

• Avec moi, ça ne se passera pas pareil, je réussirai là où les autres ont échoué.
• Moi, je ne me laisserai pas faire, je serai vigilant, je trouverai bien le moyen de faire durer mon amour et le sien jusqu'au bout de l'éternité !

L'amour est une puissante force de renouvellement. C'est encore le moyen le plus sûr que je connaisse, celui qui s'est avéré le plus efficace depuis la nuit des temps jusqu'à nos jours, pour faire renaître et soulever chez des générations d'hommes et de femmes qui s'aimaient l'élan vital et la force créatrice capables de leur laisser croire qu'ils détenaient la clé du secret de l'amour, et qu'à eux seuls, ensemble, et pour la première fois du monde, ils trouveraient le moyen de réaliser des merveilles et des miracles.

Je reste plein d'enthousiasme devant ce constat et devant les perspectives de l'amour. Mais ce que j'ai à te dire, mon impatiente, repose sur un souci de repères concrets pour entretenir cette force de l'amour tout en tenant compte de ce postulat de base : nul ne sait à l'avance la durée de vie d'un amour.

Ce que je tente de partager avec toi, sur ce sujet, s'inscrit et se structure autour de mes propres croyances, participe de mes propres tâtonnements et s'appuie sur mes découvertes tout au long de ma vie d'homme, de père, de mari, d'aimé et d'aimant...

Les réflexions plus graves qui vont suivre, ma chérie,

ne représentent qu'une toute petite partie de mes tentatives pour répondre à ta question : « Dis, papa, c'est quoi l'amour ? »

Entends-tu aujourd'hui combien mes réponses s'étirent dans le temps, qu'elles épousent et suivent les chemins apaisés ou sinueux et chaotiques de ma propre vie amoureuse ? Qu'elles représentent surtout des années de perplexité, d'inquiétudes, de certitudes ou de doutes et parfois de désespoir ?

J'ai trouvé passionnant et stimulant de partager mes réflexions avec toi, aux grandes étapes de ta vie et de la mienne. J'ai ressenti le besoin de regrouper de façon plus cohérente et structurée ce que j'avais tenté de te proposer ou de t'offrir au fil du temps, dans le désordre de l'improvisation, et parfois même du réactionnel dans lequel me plongeaient tes questions, tes affirmations ou encore tes propres engagements amoureux... quand j'en avais connaissance. Je conviens que ce n'était pas toujours le cas... car tu restais pudique, défensive par la suite, sur tes amours.

Nous avons connu des phases détendues et joyeuses de confiance, d'abandon, de confidence. Elles ont laissé la place à des périodes plus tendues, à des moments chaotiques et insupportables. Des temps de silence, de fuite ou de retrait, de mutisme épais, buté et violent dans lequel nous nous murions, toi ma fougueuse, mon indépendante, moi ton père absent, souvent dépassé ou blessé. Puis, il y a eu des retours de flamme impétueux et virulents quand, intraitable et inaccessible, tu m'agressais de tes reparties, comme si quelque part j'avais été responsable de tes propres difficultés à aimer, de tes résistances à t'engager, à voir clair ou à rester aveugle dans les labyrinthes de l'amour.

Certes, les filles n'aiment pas que leur père se mêle de leur intimité, de tout ce qui touche de près ou de loin à leurs amours ! Pourtant, elles exigent aussi que leurs parents restent proches et attentifs. Et surtout qu'ils sachent se dispenser de conseils ou éviter des commentaires et des analyses, et surtout, surtout, ne porter aucun jugement sur le partenaire choisi. Je t'entends encore hurler : « Il n'y a que moi, tu entends, personne d'autre et surtout pas toi, papa, qui ai le droit de dire du mal de lui ! Je suis assez grande pour savoir ce que je fais, même si je me trompe ! De toute façon, tu es trop vieux pour comprendre. »

Enfin, aujourd'hui, sans m'occuper directement de ta vie amoureuse, ni entrer dans les détails de la mienne, je peux tenter d'énoncer quelques repères, placer quelques balises, témoigner de quelques-unes de mes découvertes dans ce domaine. Je crois que ta mère a déjà beaucoup partagé avec toi sur ces questions. Cela t'appartient aussi.

J'ai mis si longtemps, ma toute grande, à m'apercevoir que l'amour est semblable à un prématuré lancé trop tôt dans le monde !

Et encore tellement plus de temps à accepter que l'accès à l'amour peut se présenter de multiples façons, suivre des chemins différents, je veux dire si imprévisibles qu'ils nous surprennent chaque fois.

Voici quelques-uns de ceux que j'ai traversés.

47

- **Aimer sans être aimé : un chemin douloureux et désespérant**

C'est se sentir envahi d'amour pour un être qui, lui, ne ressent rien de « spécial » dans cette dimension. Et s'étonner, se scandaliser parfois, de constater ce décalage, cette différence :

- Comment ne voit-il pas à quel point je l'aime !
- Mais enfin, je l'aime si fort qu'il ne peut pas ne pas le sentir et ne pas m'aimer lui aussi !
- De toute façon, quand il découvrira que personne au monde ne l'aimera comme moi, il ne pourra pas faire autrement que de m'aimer !

L'aimé, lui, quand il n'éprouve pas de sentiment à notre égard, nous laisse seul, échoué sur une terre devenue soudain hostile et inhospitalière, car vide de tout espoir de réciprocité. Et nous restons déconcerté, avec des sentiments plein le cœur dont nous ne savons que faire. Confronté quand même à l'évidence cruelle et douloureuse que nous ne pouvons pas dicter à l'autre de nous aimer, partagé entre une colère facile contre nous-même ou une rancœur plus pugnace contre l'autre, et la peine et la tristesse de nous sentir démuni et impuissant. C'est qu'il y a parfois des empêchements à l'amour. Et aussi des peurs. La peur d'aimer, celle d'être trop aimé et englouti dans l'amour de l'autre !

- **Aimer en se sentant aimé : un chemin merveilleux et cependant hasardeux**

Cette situation, que nous espérons tous pouvoir connaître, peut paraître la plus évidente. Elle représente le prototype de la relation amoureuse à laquelle nous aspirons. C'est la plus recherchée et cependant elle génère des doutes, réveille des peurs, réactive des exigences, des besoins et des désirs qui ne se rencontrent pas toujours. Combien d'années ai-je mis à découvrir que les sentiments ne s'accompagnent pas nécessairement d'une relation à leur hauteur ! On se voudrait grand, beau, superbe, compréhensif, généreux, et on se montre mesquin (parfois), petit, piteux, étroit (quelquefois), exigeant (souvent) ou plus simplement désemparé et démuni... au bord d'un chemin splendide mais si avide d'arriver au bout qu'on n'en voit pas les beautés et les merveilles toutes proches.

- **Se sentir aimé sans aimer : un chemin rocailleux**

Ah, au début quel plaisir, quelle satisfaction et quelle émotion de se sentir aimé, désiré, recherché ! Quelle gratification d'être l'objet d'une attention, de sourires, de gestes, de regards surtout, d'être ainsi accompagné, porté, magnifié parfois par l'amour de l'autre !
Et puis patatras, toutes ces marques d'intérêt finissent par être irrecevables et deviennent envahissantes. L'autre est vécu comme trop pressant, « collant ». Cet amour qui nous est offert sans parvenir à éveiller le nôtre, ces élans

49

qui ne suscitent pas d'écho, de mouvement, d'abandon ou de liberté d'être envers l'aimant s'avèrent pesants, intrusifs, contraignants. On a envie de fuir l'aimant avec le sentiment désagréable d'être injuste, maladroit ou indélicat.

Ma toute grande, quand la réciprocité n'existe pas, c'est le malaise lié à de la culpabilité qui s'installe. Avec la difficulté souvent de pouvoir témoigner à l'autre son non-amour ! Tous les arguments sont utilisés pour ne pas oser dire et ne pas se positionner, par peur de blesser. Parfois ce sont des mouvements de fuite qui prennent le relais ou, plus terrible encore, des désirs d'agresser, de faire mal. Quelquefois de faire payer à l'autre, ô paradoxe, de n'avoir pas su, par ses sentiments, nous éveiller à l'amour, d'avoir échoué à nous rendre amoureux de lui, comme si tout était de sa faute. Il nous vient des pensées comme :

« Il n'avait pas à m'aimer, quand même. Il aurait dû voir que je ne l'aimais pas, qu'il ne m'intéressait pas. Alors tant pis pour lui ! »

L'amour rend parfois maladroit et apparaît souvent injuste.

Oui, ces réactions peuvent te sembler insensées, folles ou disproportionnées, mais l'amour, quand il n'est pas partagé ou amplifié, suscite de bien curieux, de bien étranges sentiments mélangés et brouillés en nous, des sentiments ambivalents et contradictoires envers l'autre.

- **Aimer sans le savoir et parfois même en le niant : un chemin obscur**

Oui, il nous arrive parfois d'aimer sans le savoir. La graine s'est déposée en nous, elle a été semée, elle germe, se développe et occupe déjà beaucoup de place alors que nous restons aveugle, apparemment insensible et indifférent, décontracté, distant ou même légèrement condescendant envers l'aimé. Ce sont souvent les autres, des amis, un parent, qui voient clairement que nous sommes épris et amoureux et que nous voulons en même temps, soit cacher, soit ignorer cet élan d'amour. C'est l'incohérence de nos conduites, l'arbitraire de nos refus et de nos fuites qui vont témoigner malgré nous de ces amours refoulées. Il faut du temps pour accepter d'aimer, pour se décentrer et reconnaître qu'il est possible de s'abandonner, de lâcher prise, d'oser aimer.

- **Croire aimer et se leurrer avec une sincérité accablante : un chemin qui débouche sur une impasse**

Certains sont tellement éblouis par les regards, les attentions, la passion de l'aimant qu'ils peuvent se laisser séduire par cet amour et croire être eux-mêmes en amour. Tout se passe comme si l'amour qui leur est témoigné déteignait sur eux. Avec une sincérité aveuglante, ils peuvent se persuader d'aimer. Ils s'en donnent à eux-mêmes tous les signes et, recherchant la présence de l'aimant, lui manifestent des marques d'intérêt, des attentions proches. Ils lisent dans le regard de ceux qui les entourent une admiration mêlée d'envie, un émerveillement mélangé à des regrets ou à de la nostalgie. Ainsi, celui qui croit aimer se laisse porter à la fois par les démonstrations de l'aimant et par les encouragements de l'entourage. Il s'aime à être ainsi aimé et confond la réverbération de cet amour-miroir avec ce qui devrait être un amour décentré sur l'autre. Celui qui aime ainsi va se réveiller un jour et découvrir la vérité de ses propres sentiments. Et celui qui a été leurré par ce type d'amour va mesurer la superficialité et la pauvreté, sinon la vacuité des sentiments qui paraissaient lui avoir été offerts avec tant de générosité et d'abondance. Il va pouvoir entendre les frustrations et les manques qui lui sont, en réalité, imposés à travers cet amour. Le réveil sera difficile, éprouvant et douloureux, mais salvateur à terme.

- **Laisser croire qu'on aime et en montrer tous les symptômes : un chemin perverti**

Entretenir cette illusion chez l'autre, lui laisser entrevoir qu'il est aimé alors que nous ne ressentons pas d'attirance, encore moins de sentiments, est un véritable crime, l'équivalent d'un assassinat affectif. Les enjeux cachés d'une telle attitude sont variables. Le principal d'entre eux tourne autour de l'intérêt personnel, du gain et de la jouissance retirés, recueillis, accumulés et thésaurisés sans se risquer. Celui qui laisse croire qu'il aime met l'autre en dépendance, garde toute sa raison et n'investit rien. Il consomme, il se laisse aimer et se comporte en véritable parasite. Au-delà de la tromperie, de la manipulation, celui qui prétend aimer alors qu'il n'éprouve pas de sentiments déclenche une dépendance chez celui qui se croit aimé. Des rapports dominant/dominé caractérisent cette relation.

- **Confondre amour et attachement : un chemin parsemé de risques et de frustrations implicites**

Dans certaines relations amoureuses, les partenaires s'attachent l'un à l'autre. Ils sont dans l'ordre du besoin de l'autre. Besoin de la présence, de la proximité, des attentions de l'autre. L'attachement contient une part de désespérance, en ce sens qu'il se vit sur des acquis, sur des certitudes, sur la sécurité ou sur des évidences. Il laisse peu au renouveau et au renouvellement, à la surprise, à la fantaisie et au nourrissement de la relation. On observe un tel risque dans les vieux couples, qui prétendent ainsi s'aimer alors qu'ils ont seulement codifié et ritualisé leur besoin d'être ensemble, au point que l'un est perdu, désemparé ou paralysé quand l'autre s'absente, fait défaut...

Il y a peut-être d'autres dynamiques amoureuses, mais je m'en suis tenu aux plus fréquentes que j'ai regroupées pour toi, ma persévérante, dans un résumé très schématique, car elles contiennent une multitude de variantes, de combinaisons, d'aménagements. Chaque amour est unique, tu le sais aujourd'hui, aucun n'est semblable et ne peut être comparé, ajusté, retaillé ou se donner à la demande. Celui qui aime s'engage en général avec tout ce qu'il est, corps et âme, avec toute son histoire.

Ainsi ai-je pu écrire il y a quelques années ces quelques lignes pudiques : Ô mon amour, qu'est-ce que la vie ? Le ruissellement impalpable des jours... Un sourire reçu dans un regard étonné... Une tendresse offerte au cri d'un silence... Un geste agrandi au murmure d'une écoute... Ta présence infinie au-delà de l'absence... La palpitation renouvelée des jours. Ô mon amour, qu'est-ce que la vie ?

Au-delà d'un je t'aime, c'est la caresse d'un regard, c'est l'attentivité d'un geste, l'accueil d'un sourire qui me reliera à l'aimé, le plus sûrement, le plus solidement.

Ma grand-mère

Dis, papa, où j'étais, moi, avant d'être dans le ventre de maman ?

- -

Je me retrouve dans la situation de ces enfants – dont je fus – ouvrant le Larousse dans l'attente troublante d'y découvrir les secrets de la sexualité comme ils ouvriraient une armoire de la cuisine pour satisfaire leur gourmandise. Et bernique ! là, déjà sautant d'un mot à l'autre qui renvoie au précédent, l'enfant-chercheur constate que le secret n'a fait que s'épaissir, qu'au mieux c'est partie remise et que, comme disent les adultes qui pourtant fabriquent les dictionnaires, il comprendra plus tard.

J.-B. Pontalis

- -

La question de l'enfant sur ses origines exprime le désir de savoir pourquoi, par quel processus, il est là. Le désir des adultes est plus difficile à exprimer, car il reflète et cache des sentiments et des émotions extrêmement différents et pas toujours conscients... Voyage au centre de la vie pour chacun d'entre nous.

Avant cette interrogation : « Dis, papa, c'est quoi l'amour ? », tu avais déboulé un jour avec plein d'interpellations péremptoires sur la procréation. Et je me suis souvenu, ému, de ce dimanche matin où, plus matinaux que les autres, nous petit-déjeunions à deux. Tu buvais ton chocolat et le bol te dessinait deux belles petites moustaches brunes de part et d'autre de la bouche. Tu avais déjà sept ans et les questions sur la mort t'habitaient beaucoup depuis la disparition d'une toute proche. Et ces préoccupations te renvoyaient, par je ne sais quelle volonté ou quel enchaînement du destin, aux origines de la vie.

— Dis, papa, où j'étais, moi, avant d'être dans le ventre de maman ?

— Tu étais dans mon imaginaire, ma chérie.

— C'est où l'imaginaire, papa ? C'est quoi ?

— Eh bien, vois-tu, l'imaginaire, euh ! c'est dans la tête ou dans le cœur. Ce sont des images, des pensées, des paroles qui défilent dans la tête, et qui des fois s'en vont, et d'autres fois restent... en nous.

— Alors, moi, je suis restée ?

— C'est-à-dire que, justement, tu n'es pas restée dans mon imaginaire, tu es devenue un désir...

— Mais c'est quoi, papa, un désir ? Ce sont des mots difficiles que tu emploies là ! Moi, il me faut des mots qui parlent, pas des mots qui disent ou qui expliquent. Surtout pas des mots qui expliquent ! Quand tu veux expliquer, que tu prends tes grands airs de savant, moi je comprends vraiment rien... Je veux des mots qui m'apprennent des choses pour moi toute seule.

— Je recommence tout... (Grande respiration.) Il y a longtemps, mais vraiment très longtemps, j'étais un petit garçon.

— Tout petit comment ?

— Pas trop petit, mais quand même petit. C'était à l'époque où je grandissais encore tous les jours...

— Comme ça ? (Elle soulève son bras à la hauteur de son cou, pour tenter d'évaluer la hauteur.)

— Oui, juste un peu plus haut, comme ça (j'ai pris la main de ma fille et montré la hauteur du petit garçon qui grandissait). Donc j'étais un petit garçon et je voulais une petite sœur à ce moment-là...

— Pour lui tirer les cheveux ?

— Non, non, je voulais une petite sœur juste pour parler, pour jouer, pour lui mordiller les pieds, pour s'amuser, quoi ! Et mes parents, mon papa et ma maman – ton grand-père, papi Saturnin et ta grand-mère, mamie Marie-Louise –, ils ont bien essayé d'avoir un autre enfant, une fille, mais ils n'ont jamais pu me faire une petite sœur.

— Tu étais triste alors ?

— Pas trop finalement, parce que, des fois, je la voulais, cette petite sœur, et d'autres fois, la plupart du temps d'ailleurs, il faut bien le reconnaître, je ne la voulais pas... Et puis heureusement, parce que les petites sœurs ou les petits frères c'est d'abord et avant tout l'affaire des parents, du couple des parents, pas celle des enfants...

— Alors, les désirs des garçons pour les filles c'est des moitiés de désirs ?

(Je ne sais par quel cheminement et quels recoupements elle était parvenue à cette conclusion !)

— Ce n'est pas tout à fait ça. C'est plus compliqué, tu sais ! En fait, je voulais garder mes parents pour moi tout seul. Les fois où je voulais une petite sœur, c'était quand j'étais en colère contre ma maman.

— Toi aussi, tu avais des colères contre ta maman ?

— Oui, je l'aimais pourtant beaucoup, mais des fois j'avais envie de la rejeter, de lui crier qu'elle ne comprenait rien, que c'était une mauvaise mère, et même des fois j'avais envie de lui taper dessus !

— Alors j'ai le droit d'être en colère contre maman, même quand je l'aime ? (Silence du père !) Et la moitié de désir, papa, qu'est-ce qu'elle est devenue ?

— Je vais te surprendre encore, ma chérie. En grandissant, je l'ai complètement oublié, mon désir de petite sœur. Je veux dire qu'il s'est comme volatilisé et que je l'ai remplacé par plein d'autres désirs : faire du ski, apprendre à mettre la tête sous l'eau, essayer de savoir ce qu'il y avait sous la jupe des petites filles – eh oui, je n'avais pas de petite sœur, ni de cousine... J'avais le désir de posséder une moto, de faire de la planche à voile. Plein de désirs...

– Ah bon !

– Et puis un désir plus grand a remplacé presque tous les autres.

– Ah ! et lequel ?

– Qu'une jeune fille blonde avec des yeux bleus me dise : « Je t'aime. »

– C'est pas un désir ça ! C'est une histoire comme dans les films ou les feuilletons à la télé...

– C'est peut-être comme dans les films, mais c'était bien mon désir à l'époque de mes dix-sept ans.

– Alors ton désir c'était pas maman, puisqu'elle est brune avec des yeux noirs ?

– Oui, c'est ce qui me surprend le plus : mon désir a changé de couleur ! Tu sais, la vie ça bouge, c'est jamais pareil. J'ai eu le sentiment que je grandissais chaque fois que je changeais de désir.

– Alors pour grandir, il faut changer de désir ?

– Je le crois un peu.

– Mais, où j'étais, papa, avant d'être dans le ventre de maman ?

– Bon, reprenons le tout. Je vais te faire un dessin... (Je prends une grande feuille de papier.) Là, je suis un petit garçon, et il y avait une image de petite sœur dans mon imaginaire. Tu la vois, elle est dans ma tête, cette image (je dessine une petite fille dans la tête). Puis elle se transforme en désirs, plein de désirs (je fais d'autres dessins). Donc, je grandis. Alors, je vais dessiner plein de désirs (je dessine plein de désirs). Puis, là, c'est le trou... je ne me rappelle plus (je dessine un grand trou noir), puis plein de nouveaux désirs. Je suis déjà grand et mes désirs prennent forme, se précisent (dessins de femmes)...

– Alors, tu as oublié la première jeune fille blonde aux yeux bleus ?

– Oui, celle qui aurait dû avoir une jupe blanche et des tresses, je n'ai fait que la croiser en rêve. Et puis j'ai rencontré ta mère, enfin, la jeune fille qui est devenue depuis ta mère !

– Ah, enfin, il était temps ! Donc, vous vous êtes embrassés, tu l'as emmenée en moto, je sais tout ça.

– N'allons pas trop vite, cependant, parce que, au début, ni elle ni moi ne voulions d'enfant.

– Oui, les études d'abord, trouver un emploi, gagner de l'argent, acheter un lit... Vous étiez trop jeunes, mamie m'a tout raconté...

– Elle est gonflée, ta grand-mère, de te raconter tout cela !

– Oui, elle m'a dit ça aussi que tu la trouvais trop grosse.

– Mais ce n'est pas ça que je veux dire quand je dis qu'elle est gonflée. Tu déformes tout, on ne peut jamais discuter tranquillement avec toi.

– Moi, je discute bien avec toi !

– Bon, c'est vrai, elle a les jambes toutes déformées, mamie. Mais c'est pas de sa faute, elles sont trop lourdes ses jambes et elle a une mauvaise circulation.

– Mais c'est pas des jambes de mamie dont je voulais parler... Alors, j'étais où avant d'être dans le ventre de maman ?

– J'essaie de te le dire : tu étais un désir.

– Un seul désir ? Ou les deux ensemble ?

– Tu as deviné. Avant d'être dans le ventre de ta maman, tu étais la rencontre de deux désirs : le mien et celui de ta maman.

– Et moi, dans tout ça, je n'avais rien à dire ? C'est toujours comme ça ?

– Non, pas toujours. Il y a des enfants qui naissent d'un seul désir. Mais je crois qu'il vaut mieux un désir chez chacun, chez la femme et chez l'homme.

– Papa, ils se sont rencontrés comment, vos désirs ?

– Il y a eu plusieurs étapes. Celle du cheminement de mon désir à moi, dans mon imaginaire. Celle du cheminement du désir de ta maman dans son imaginaire et dans ses rêves à elle. Je te laisse lui demander comment il était, son désir à elle. Et puis il y a eu l'étape de l'incarnation de ce désir. Et de celle-là, je m'en souviens très bien. C'était un dimanche après-midi. Il faisait froid dehors, on a été faire la sieste, et là, dans le lit, nos deux désirs se sont rencontrés dans nos corps, avec plein de plaisir autour.

– Là c'était pas en cachette ?

– Non, on était mariés, c'était plein de liberté, de joyeuseté. C'est ta mère qui a senti le plus fort que la rencontre de nos deux désirs devenait une fête.

– Ça faisait le bruit des feux d'artifice ?

– Je n'ai pas entendu du bruit, mais j'ai senti du chaud, j'ai vu comme une grande lumière tout orange et je me suis senti content, content. Tu demanderas à ta mère ce qu'elle a vécu, elle.

– Alors, c'était moi qui étais là, dans la rencontre de ton désir et de celui de maman ?

– Oui, je le crois. Et, à partir de là, tu t'es installée dans le ventre de ta maman.

– Oui, je sais tout ça, avec le cordon, le liquide, les bruits de son ventre quand elle mangeait et tout le remue-ménage quand elle riait... J'étais bien au chaud, j'étais bien calée, j'avais jamais faim, je ne faisais que rêver !

– Tu rêvais ?

– Oui, puisque je n'avais rien d'autre à faire comme j'étais toute seule, je rêvais que le ventre de maman, c'était comme le ciel et la mer qui enveloppent tout. J'étais comme un poisson qui bougeait beaucoup. D'ailleurs, des fois quand je suis un peu triste, je pense comment j'étais bien dans le ventre de maman. Des fois je voudrais y revenir un peu. C'est pour ça que je suce mon pouce, ou que je prends une peluche : ça me rappelle le goût du bon et du doux quand j'étais bébé !

– Eh bien, vois-tu, moi, je ne voudrais pas revenir dans le ventre. J'essaie d'agrandir ma vie tous les jours. Cette petite boule de vie que j'ai reçue, comme toi, au moment de la rencontre des désirs entre mon papa et ma maman, avant qu'ils ne soient ta grand-mère et ton grand-père, cette petite boule-là, je veux surtout l'agrandir. Comme ça plus tard, je rendrai à la vie plus de vie qu'elle ne m'en a donné.

– Moi, papa, pour l'instant, cette boule de vie, je veux la garder vivante, seulement vivante.

Les parents rêvent à l'enfant qu'ils aimeraient concevoir, la mère rêve du bébé qu'elle porte en son sein, l'enfant rêve au jour où il verra la lumière, et s'ils ne rêvaient pas ensemble, la vie ne viendrait pas au monde.

Léonard de Vinci

Dis, papa, comment on fait
pour que l'amour ne meure pas ?

Il était une fois, toujours la même petite fille qui questionnait inlassablement son père.

– Dis, papa, tu peux m'expliquer encore ? L'amour c'est quoi ?

Et lui reprenait, s'embrouillait, se reprenait, tentait une fois de plus de répondre, d'éclairer, d'apaiser...

– Euh... l'amour, c'est un état merveilleux. C'est quelque chose qui est à la fois simple et compliqué, tu sais ! C'est une émotion formidable, précieuse et fragile. C'est comme un trésor fabuleux, comme une richesse rare que j'ai touchée parfois du bout du cœur, du bout des yeux ou des doigts, mais à laquelle je n'ai pas toujours eu accès. Ce trésor, je le pressentais souvent tout proche, accessible, mais il arrivait parfois qu'il se dérobe, qu'il se cache ou qu'il m'échappe alors que j'aurais voulu le retenir, le garder durablement. Quelquefois c'est lui qui me visite, et alors il m'envahit, m'habite, déborde de partout.

— Je comprends rien, papa, à ce que tu me dis. C'est quoi l'amour dans la vie ?

— Eh bien, c'est aussi un sentiment. Mais un vrai sentiment qui dure, pas seulement une émotion ni le simple ressenti d'un moment, pas seulement une tocade, un béguin ou un engouement qui se contente de passer en toi, de te traverser et puis hop ! qui s'en va. Non, c'est quelque chose de fort et de durable à la fois. C'est quelque chose que tu sens en toi, qui t'anime et qui te porte vers quelqu'un. Tu penses souvent à lui. Oui, tu as envie d'aller sans arrêt vers ce quelqu'un, celle ou celui que tu aimes. Tu as envie qu'il vienne vers toi aussi. Tu as envie de l'entendre respirer, de le voir te sourire, d'imaginer qu'il te regarde et que c'est bon pour lui aussi de te regarder. Ah, j'oubliais ! Tu as envie aussi de le toucher, de le caresser et qu'il te caresse.

Quand tu as ce sentiment en toi, tu as envie de vivre plein de bon, tu te sens bien. Oui, quand tu aimes quelqu'un, le signe qui ne trompe pas, c'est que tu as envie d'être bon, d'être exceptionnel pour lui. Tu as envie de partager le meilleur de toi... et surtout d'inventer des moyens de grandir dans ta propre vie. Et d'ailleurs tu trouves plein d'idées pour ça quand tu aimes et que tu te sens aimé. Tu te sens heureux, quoi ! Tu as dû connaître de tels courants, de tels mouvements ou de tels chambardements parfois en toi ?

— Oui, mais ça ne dure pas et puis ça tombe jamais juste. Moi, j'aime Antoine, et lui, il aime Céline et je ne suis pas heureuse. C'est quoi être amoureux alors ? Oui, je sais, tu m'en as déjà parlé, mais c'était avant. Maintenant je veux entendre encore, mais un peu plus !

66

Entendre encore, savoir plus, débusquer le mystère, voilà ce que tu voulais aux différents âges de ta vie.

– Être amoureux, c'est le début de l'amour. On s'est rencontrés et on a senti un élan, une attirance, un appel vers l'autre. Être amoureux, c'est quelque chose qui se passe en toi, à l'intérieur de toi, là, au niveau du cœur, de la poitrine, du ventre. C'est comme si cet espace s'ouvrait pour laisser entrer tout l'autre. Parfois, c'est tout doux et d'autres fois c'est un vrai raz-de-marée, une tempête, des tourbillons qui t'empêchent de penser à quoi que ce soit d'autre. Au début, tu vois...

– Comment ça, au début ?

– Oui, au début de l'amour...

– Alors si l'amour a un début, tu veux dire qu'il a aussi une fin ? Et qu'il ne dure pas toujours ?

– Si, si, ça peut durer toujours... ou longtemps... enfin, si on l'entretient. Si tes sentiments grandissent avec le temps. Si l'autre t'aime aussi très fort. Si on partage beaucoup de choses ensemble. Si...

– Ça fait beaucoup de « si » pour un seul sentiment ! Alors si en plus on en aime plusieurs à la fois, comment ça se passe ?

– D'abord, je ne crois pas qu'on puisse aimer plusieurs personnes à la fois avec le même amour. Chaque amour est...

– Différent, je le sais. Mais toi, papa, tu aimes maman, tu aimes ta mère, tu m'aimes moi aussi un peu, et puis tu aimes les films de Woody Allen, tu aimes écrire et tu aimes les...

— Attends, attends, je t'arrête. Je peux éprouver tous ces amours, mais attention, ce n'est pas le même amour chaque fois ! Ce sont des amours différents... Oui, nous en avons souvent parlé, chaque amour est différent. Chaque amour au fond est unique, voilà ce que je voulais te dire. C'est une découverte que j'ai faite intimement quelques jours seulement avant la naissance de ta sœur. Un soir, à table, tes frères et toi, vous étiez en train de parler de l'arrivée prochaine de cet enfant. Vous vous disputiez et vous y alliez de vos commentaires : « Ouais, c'est dégueulasse, on partage déjà l'amour de papa et de maman en quatre et il faudra maintenant le partager en cinq... Il en restera pas lourd pour chacun si ça continue comme ça ! On est déjà trop dans cette famille. S'il faut aimer tout le monde, on n'aura que des miettes... »

Et je crois vous avoir alors répondu : « Non, non, cela ne se passe pas comme vous le croyez. J'ai l'impression, à vous entendre, que vous voyez l'amour comme un gâteau à se partager. Moi, avec mes yeux à moi, je le vois autrement. Je ne vois pas l'amour comme une quantité définie et délimitée mais plutôt comme une source. Moi, j'ai un amour pour chacun de vous. Je n'ai pas besoin de le partager. L'amour que j'ai pour toi, Nathalie, je ne le partage pas ou je ne l'enlève pas à Marine, à Bruno ou à Éric. Et l'amour que je vais avoir pour l'enfant à venir... eh bien, il est à naître, lui aussi. Je ne sais pas ce qu'il sera, je ne sais pas de quoi il sera fait, ni ce qu'il deviendra. Il est à inventer entre cet enfant à venir et moi et entre moi et lui. Entre lui et vous, il y aura aussi un amour à inventer... »

— Mais papa, une fois de plus tu m'embrouilles, tu

mélanges tout. Tu me l'as déjà dit toi-même : l'amour pour les enfants, c'est pas la même chose que l'amour entre un homme et une femme ! Avec les enfants, il peut y avoir plusieurs amours, là je suis d'accord. Tu peux aimer tes cinq enfants... mais pas cinq femmes quand même !

– Euh, non, oui, enfin... ça dépend, tu sais. Certains peuvent, d'autres pas. Je crois quand même qu'il est possible d'aimer plusieurs êtres en même temps. Mais tu as raison, ce sont chaque fois et pour chaque personne des sentiments différents, avec des variantes sous forme de passion, d'affection, de tendresse, ou d'amour léger...

– Alors il y a comme ça des qualités différentes dans l'amour, comme pour l'essence des voitures ?

– Ah, tu es terrible, tu ne laisses rien passer ! Ce que je veux dire, c'est que l'éventail des sentiments est vaste, multiple et chatoyant comme les différentes nuances d'une couleur. Prenons la couleur rouge par exemple. Il existe toute une variété, toute une palette de rouges. Il y a aussi des amours de couleurs différentes parce que ce sont des variétés d'amour qui ne sont pas coulées dans la même forme de sentiment.

– On dirait que tu parles d'un légume et de ses variétés !

– Je m'embrouille un peu, d'accord. Mais avec tes questions tu m'entraînes sur des pistes que je n'ai pas bien explorées. J'ai l'impression de connaître le morceau de musique mais que je dois improviser sans arrêt.

– Alors tu n'avais jamais réfléchi à tout ça avant ?

– Non, pas beaucoup, c'est vrai. L'amour avant tout

se vit. Il s'éprouve, se partage, évolue, mais il se réfléchit rarement.

— Il y a pourtant plein de livres sur l'amour, vous n'avez que ça dans votre bibliothèque.

— Des livres sur l'amour, je crois qu'il y en a peu. Des livres sur les malentendus, les pièges, les errances, les maltraitances de l'amour, oui, il y en a beaucoup. Si je veux avancer dans ma réflexion, grâce à toi, il me faut prendre un peu de recul.

Et cette fois-là l'échange se termina sur la façon dont les films de Disney présentaient l'amour comme une marmelade, un condiment pour donner du goût aux amours matériellement terrestres, hors films...

— Cette fois je ne te demande pas : c'est quoi l'amour ? mais : comment on peut reconnaître que c'est le bon ?

— Je crois qu'il existe des amours d'origines bien différentes. Nous prenons même parfois pour de l'amour des manières d'aimer qui en sont des succédanés ou des contrefaçons : des amours que j'appelle des amours de besoin, des amours idéalisées, des amours de manque. Des amours qui débouchent sur des formes possessives, des amours passionnelles qui rendent parfois fou, des amours de désir qui ne peuvent se vivre que dans la violence. Et puis, il y a aussi des amours qui se succèdent à différentes époques de notre vie, qui changent ou qui s'endorment, et d'autres qui sont blessées ou qui s'abîment...

— Alors quand l'amour est blessé, qu'il part, ça doit faire mal, très mal même !

— Ce n'est pas l'amour qui fait mal ni sa disparition, mais la peur. Il y a bien sûr la déchirure, la souffrance, la vexation parfois, la tristesse, la peine de se retrouver comme nu et seul avec ses blessures au temps de la désaimance ou du désamour. Mais il y a surtout la peur de ne plus être aimé ou aimable, de ne plus rien valoir, de ne plus être reconnu, de rester seul, d'être abandonné, de ne plus savoir aimer...

— J'ai souvent des peurs en moi, alors c'est parce que l'amour a disparu ?

— Toi et moi, comme beaucoup d'autres encore, nous avons des tas de peurs, vieilles comme l'humanité. Les peurs sont anciennes, ancestrales même. Depuis le temps, elles ont l'habitude, elles savent s'y prendre avec les hommes et leurs petits. Mais nous, nous pouvons apprendre à ne pas les laisser faire, à ne pas les cultiver, à ne pas les entretenir en nous...

— C'est pas vrai, ça ! On peut pas commander aux peurs, moi j'ai déjà essayé : elles restent toujours là, ou bien elles reviennent tout le temps, même quand je fais semblant de les oublier.

— Les oublier, c'est vrai que ça ne marche pas. Moi, vois-tu, dans le domaine des peurs, ce qui m'a aidé, c'est de comprendre que, derrière chaque peur, il y a un désir. Chaque fois que j'ai su reconnaître le désir qui se cachait derrière ma peur, je suis devenu plus vivant et donc moins faible, moins bloqué, moins paralysé face à mes peurs, moins démuni ou amoindri par elles !

– Bon... je veux bien essayer encore, mais c'est quoi, papa, le désir ?

– Oh ! là ! là ! le désir, c'est encore plus difficile à expliquer que l'amour. Le désir... voyons... le désir c'est un mouvement, un élan, une envie. Oui, quelque chose qui te pousse, qui t'entraîne même, vers plus de vie. Le désir te porte, il te jette en avant, il te fait faire des trucs extraordinaires. Comme écrire des poèmes, grimper sur l'Himalaya, traverser le Pacifique à la rame, devenir beau, changer des choses dans ta vie, autour de toi. Le désir, c'est le carburant du moteur de la vie. C'est aussi ce qui te fait rêver, imaginer, embellir le futur immédiat ou lointain. Le désir, ça donne du goût, de la saveur et des couleurs au présent. C'est ce qui entretient les surprises, les émerveillements, les étonnements et l'extraordinaire dans la vie de tous les jours. Le désir, c'est comme un soleil à l'intérieur. Sans désir, on ne vit pas, on survit, on végète. Mais il faut accepter que, comme le soleil, le désir ne brille pas toujours et qu'il n'apparaît pas sur simple commande.

– Alors moi, je dois être drôlement vivante, parce que j'ai plein de désirs, et même plus que je ne peux en dire. Ça fourmille parfois partout dans ma tête. Je sens plein de désirs qui dansent et qui chantent dans mon corps, ils vont jusqu'aux orteils, tu sais, papa ! Chic, j'ai plein de soleils en moi alors ?

– Je le sais que tu es pleine de désirs. Et j'espère d'ailleurs que tu en prends grand soin ! Que tu leur offres souvent des rêves, que tu les arroses, que tu leur fais une place dans ta vie... même si tous ne se réalisent pas ! Il y a des désirs qui ont besoin de rester à l'état de désirs.

– Papa, comment on fait, alors, pour que l'amour ne meure pas ?

– Je ne sais pas. Là, vraiment, je ne sais pas et je me demande d'ailleurs s'il y a vraiment une solution, une recette, ou un mode d'emploi ! J'avoue qu'il y a une part de mystère dans l'amour, une part d'insaisissable qui m'échappe. La seule explication que je puisse te donner pour l'instant, c'est que si l'amour est quelque chose de vivant, il a une vie propre. Ce qui caractérise la vie, c'est bien qu'elle évolue, qu'elle change de qualité, de sens, qu'elle se découvre et se révèle renouvelée à chaque instant. Il faudrait à mon avis apprendre très tôt, à l'école pourquoi pas ? que l'amour est quelque chose de vivant, donc de périssable et d'imprévisible, et qu'il doit être aimé, entretenu pour qu'il vive le plus longtemps possible !

– Il faudrait nous apprendre à aimer l'amour, alors !

– Oui, en quelque sorte, nous apprendre aussi à nous aimer réellement. Nous apprendre les paysages, les sources, les rivières, les collines et les cheminements de l'amour vers l'autre. Dans mon cas et dans ma propre histoire, je n'ai jamais rencontré quelqu'un qui m'ait appris. Personne n'y a jamais pensé : ni à l'école, ni dans ma famille. Personne ne m'a enseigné à prendre soin des sentiments que j'éprouvais. On m'a laissé croire, comme à beaucoup d'enfants, qu'un amour était éternel, comme ça, de nature... Qu'il suffisait d'aimer et d'être aimé, que tout irait bien. Ça ne s'est pas passé tout à fait comme cela pour moi... J'y ai cru pourtant, mais mes certitudes n'ont pas suffi. Je suis tombé dans tous les pièges, dans toutes les erreurs, dans toutes les maladresses possibles.

— Tu étais vraiment si maladroit ?

— Oh, plus que tu ne peux l'imaginer ! Maladroit et à la fois plein de certitudes erronées.

— Tu veux dire que tu croyais à des choses fausses ? Comme quand je croyais que le père Noël ne pouvait pas exister puisque j'ai découvert que c'était vous qui achetiez les cadeaux, mais que je voulais continuer de croire qu'il venait quand même vous aider à les placer dans la cheminée !

— J'ai commencé à sortir de mes certitudes quand au lieu de faire la guerre à l'autre en l'accusant de ne pas m'aimer assez, ou de m'aimer trop, j'ai pris conscience qu'il m'appartenait de prendre soin de l'amour que j'avais en moi pour l'autre.

— Mais comment prendre soin de l'amour que j'ai pour toi et maman, pour Noémie, ma meilleure amie, et pour Thomas, mon copain ?

— Tout d'abord en ne les mélangeant pas, en reconnaissant qu'ils sont différents, en acceptant que chaque amour est vraiment unique et surtout qu'il a besoin d'être nourri, alimenté et aimé. Et puis... et puis... mais là, c'est plus difficile, je cale un peu, car j'ai appris ça sur le tard de ma vie.

— Oh oui, parce que tu es déjà très vieux, mon papa !

— Assez âgé en tout cas pour découvrir que je devais me respecter, ne plus me laisser malmener par les sentiments de l'autre.

— Comment ça, malmener ? Tu crois qu'on peut être malmené par l'amour de quelqu'un ?

— Parfois, si on se laisse définir par l'autre, si on se laisse enfermer dans ses inquiétudes ou son besoin de donner à tout prix... Il faut du temps, de la vigilance surtout pour découvrir tous ces côtés-là de l'amour !

– Si je t'écoute on risque de devenir méfiant, parano...

– Non, pas méfiant, mais attentif et lucide. Par exemple en acceptant d'entendre en toi l'évolution de tes sentiments, de les écouter, de les respecter... Car j'ai encore une chose importante à te dire : je ne crois pas qu'il y ait un Amour avec un grand A, seulement des amours avec des petits a, des amours humaines. Ainsi, il y a l'amour que toi tu peux donner et celui que tu peux recevoir. L'amour que tu as en toi pour quelqu'un, et celui que quelqu'un d'autre peut avoir en lui pour toi. Ton amour et le sien peuvent :

♥ se rencontrer,
♥ s'agrandir ensemble,
♥ s'amplifier,
♥ ou même se réduire et parfois même ne jamais se rencontrer...

– Oh ! papa, comment je vais m'en sortir ? C'est vraiment trop compliqué d'aimer... Moi, je ne veux pas me casser la tête ou le cœur chaque fois que j'aime ! Vous, les adultes, alors, c'est pas simple ! Moi, je veux de l'amour qui me fasse du bien. Comment je vais faire ?

– En prenant du temps, le temps de toute une vie. L'amour, ça vaut le coup de mettre une vie entière à le chercher en soi et à le vivre bien. Alors peut-être qu'avec l'âge on peut découvrir le bonheur d'aimer davantage et de moins souffrir des rhumes et des petits bobos inévitables de l'amour !

– Moi, je ne veux pas attendre d'être vieille pour bien aimer, je veux tout de suite... Et puis pourquoi l'amour ça devrait faire souffrir ?

– Cela ne nous fait pas systématiquement souffrir, mais peut nous entraîner dans des impasses ou nous perdre dans des labyrinthes. C'est que trop fréquemment nous croyons posséder l'amour, nous oublions que nous n'en sommes que les dépositaires, les réceptacles et aussi les émetteurs. Nous voulons le capter, le retenir, le garder en l'apprivoisant ou en le contrôlant, et surtout nous voulons chercher à retenir ou à garder celui ou celle qui nous donne le plaisir de connaître cet état amoureux ou d'aimance.

– Dis, tu ne crois pas que c'est un truc d'homme ça : s'approprier, contrôler, maîtriser ?

– Certainement, mais j'ai pu l'observer chez des femmes aussi.

– Tu en as beaucoup rencontré alors ?

– Quelques-unes, mais pas assez à mon avis pour pénétrer leurs contradictions et le merveilleux qu'il y a en chacune d'elles...

– Tu es plein de nostalgie quand tu parles des femmes. Je sens que maman ne doit pas être tranquille avec toi.

– Nostalgie et désir ne veulent pas dire passages à l'acte. Je me retiens.

– Hum, hum !

– Tu veux que je continue ?

– Oui, encore un peu, mais pas trop. J'ai la tête pleine d'images.

– L'amour, c'est comme une belle fleur, comme un oiseau que nous voulons mettre soit en pot, soit en cage, que nous voulons apprivoiser, domestiquer ou dompter. Les souffrances dans la relation amoureuse sont les cris et les pleurs de l'amour qui hurle d'être maltraité. C'est qu'il faut beaucoup de liberté, d'autonomie, d'indépendance, de maturité et de responsabilité pour pouvoir aimer comme l'amour le mérite...

Mais déjà tu as commencé à bâiller, à te frotter les yeux, à suçoter plus fort ton pouce. Tu as eu juste le temps de demander :

– Papa, tu viendras m'embrasser avant de t'endormir ? Non, non, je veux dire avant que je m'endorme ?

Ainsi se termina ce jour-là cet échange labyrinthique sur la difficulté à dire ce qu'est l'amour. Épuisé, songeur, je restai éveillé une grande partie de la nuit en repensant comment de mon temps, je veux dire au temps de mon enfance, de tels échanges auraient été impossibles, inimaginables, enfermés à jamais dans les croyances et les certitudes éducatives de mes parents qui, censurant le fait qu'ils avaient été enfants, n'auraient pas envisagé un seul instant que mon frère et moi puissions avoir eu très tôt des interrogations sur l'amour...

Repensant aussi à toutes les nostalgies accumulées autour de mes errances amoureuses. Songeant que l'amour est semblable à un prématuré trop tôt lancé dans la vie. En prendre soin est loin d'être une évidence pour beaucoup. Il nous reste alors tout le loisir de le maltraiter !

On n'aime pas les mauvaises herbes
elles poussent !
On aime les fleurs
elles meurent !

Adage zen

Dire aussi la fête des corps...

L'amour est un jardin secret des grands. Ils se cachent pour ça, et se touchent humblement avec une jolie confiance, et moins d'orgueil que dans la vie. Ce sont des gestes transparents, plus hauts que des paroles, et qui ne mentent pas ; des gestes simples et qui font mal quand on les manque, parce qu'ils révèlent alors comme un défaut de l'âme, les mots n'y peuvent rien. Ce sont des gestes fous, un peu naïfs parfois, et d'autres gestes d'une ampleur sereine.

Philippe Delerm

Au cours de nos longs échanges et dans l'aléatoire de nos partages, nous avions effleuré, évité, contourné habilement ou inconsciemment la question de l'amour physique. Si nous n'avons pas échappé aux interrogations et aux remarques autour de la sexualité, qui pimentaient à certains moments nos conversations à table, tout au moins avons-nous soigneusement éludé tout ce qui concernait le désir, le plaisir, l'abandon et la plénitude sexuelle.

« Ça, c'est l'affaire de chacun, avais-tu un jour conclu sans appel, elle concerne l'intimité de chacun ! »

L'amour ouvre sur l'éveil des émotions et des sens, avant d'introduire à la célébration de la rencontre des corps. Je le sais, ô combien, il n'est pas facile pour des parents, ni souhaitable sans doute pour les enfants, de parler très longuement ensemble sur ce terrain.

En tant qu'adultes, lorsque nous devenons parents, nous sommes renvoyés aux pensées, aux questions et aux théories que nous avons nous-mêmes construites, élaborées, inventées dans la prime enfance, à propos de la sexualité en général, et de celle de nos propres parents en particulier. Nous sommes alors propulsés dans ces zones profondes de nous-mêmes où nous avons la possibilité de retrouver les images et les explications que nous avons, depuis cette époque, refoulées dans les limbes de l'inconscient, selon un processus de censure à partir duquel sont nés notre fantaisie imaginaire, notre curiosité, notre intérêt à rechercher nous-mêmes nos réponses et qui a nourri notre aspiration à vivre nos propres expériences de découverte du plaisir charnel. Ce sont ces lois qui contribuent à entretenir le mystère, l'attrait et le renouvellement de l'amour. Ces mêmes lois qui font que les expériences des uns dans ce domaine ne servent guère aux autres.

Pour l'enfant, la question de la vie sexuelle et intime de ses parents constitue un butoir pour la pensée. Il lui est impossible de « concevoir » dans son imaginaire cette « scène primitive ou originaire » ainsi nommée techniquement dans les livres de psychologie ou de psychanalyse.

— Dieu merci, t'exclamais-tu, il y a l'Enfant Jésus et l'Immaculée Conception ! Cette histoire doit bien servir à quelque chose dans la vie des hommes, pas seulement à commémorer la naissance du petit Jésus une fois par an, ou à perpétuer la tradition de la crèche et la fabrication artisanale des santons de Provence !

— Peut-être en effet qu'elle sert de support à notre difficulté à penser nos parents comme ayant une vie sexuelle. Devenir parent à son tour est une étape importante dans la vie de tout homme ou de toute femme, ceci à de nombreux égards. C'est entre autres répéter ce que nos propres parents ont fait en leur temps. C'est peut-être pourquoi nous sommes replongés dans cette période de notre enfance au moment de la naissance d'un enfant et que nous nous retrouvons asexués à notre tour...

— Comment ça, asexués ? Sans sexe ? Sans zizi ?

— Non non, ce n'est pas ça ! C'est encore une autre histoire...

— Ah oui ! Ça, c'est maman qui m'en a parlé. Je te vois arriver avec tes gros sabots, tu vas encore remettre sur le tapis Freud et sa clique, Œdipe et Électre et leurs complexes... Le petit garçon qui a peur qu'on lui coupe son zizi et la petite fille qui croit qu'elle en avait un quand elle était toute petite et que quelqu'un le lui a coupé.

— Ne t'en déplaise, ces fantasmes font partie de nos histoires de petits garçons ou de petites filles. Mais ça c'est ce qu'on appelle la peur d'être castré. Se vivre asexué, c'est différent. C'est quelque chose qui s'exprime directement dans le corps, c'est le corps qui se souvient, même si en apparence nous avons oublié... C'est l'extinction du désir et de l'appétence sexuelle qui se produisent parfois en nous, quand nous devenons parents à notre tour. Tout ceci se passant malgré nous, au profit d'autres sentiments, d'autres besoins plus prioritaires qui se font parfois sentir dès le début de la grossesse sous la forme du besoin de protéger le bébé. À ce moment-là nous ne comprenons pas pourquoi notre désir s'éteint parfois pour une période plus ou moins longue. Ce serait une forme de répétition de la période où nous pensions nos parents sans vie sexuelle.

— Sans vie sexuelle, pas tout à fait quand même !

— Je ne dis pas que cette période dure forcément long-temps, mais elle laisse des traces qui vont resurgir sous forme de cette répétition. À cet âge de sa vie, tout enfant doit faire un travail de remaniement intérieur difficile. Il doit pouvoir tenir ensemble deux représentations. Celle des parents qui sont un couple avec une vie sexuelle. Il lui faut alors intégrer et digérer la pilule de cette vérité : c'est par cette sexualité qu'il a été conçu. Celle de parents qui ont aussi une relation de tendresse et d'aimance. La plupart du temps, nous sommes ainsi faits que nous allons plus ou moins partiellement refouler les pensées sexuelles liées au couple conjugal et privilégier la représentation des parents tendres.

— Moi, je ne me souviens pas si j'ai eu des pensées comme ça, ce que je sais c'est qu'à un moment j'ai bien cru qu'entre vous c'était terminé !

— Tu as cru ça ?... Il y a aussi les enfants ou les ex-enfants qui, en dehors de toute logique, ne peuvent pas s'imaginer que leurs parents aient pu exister avant eux et qui croient s'être engendrés eux-mêmes. C'est tellement curieux parfois, les arcanes de l'âme humaine !

— Ça aussi je l'ai imaginé quand j'avais huit ans, je me souviens... j'en parlais avec ma copine Sophie quand on se posait des questions sur nos origines.

— Dans le meilleur des cas, en tant qu'enfants, nous parvenons à nous représenter par déduction de notre présence au monde qu'une relation sexuelle a bien dû avoir lieu, mais à des fins de procréation uniquement. Un rapport sexuel unique dont nous sommes le fruit. À moins de croire à un accident, à un oubli, à un moment d'égarement ou à une simple démangeaison, nous devons éventuellement convenir de quelques autres incartades ou fêtes parentales libertines, selon le nombre de frères et sœurs recensés, entiers ou demi. Des enfants « faits dans notre dos », des rejetons qui ont l'audace de s'exhiber, telles des manifestations vivantes et ambulantes de ces trahisons ! Ou des grossesses non menées à terme, mais témoins d'une vie amoureuse dont nous avons été tenus à l'écart. Selon la place que nous occupons dans la fratrie ou que nous avons le sentiment d'occuper, nous vivrons rétrospectivement comme autant de rappels que nos parents ne sont pas que des parents chastes, mais des hommes et des femmes qui peuvent s'entraîner pour parfaire le modèle ou tenter l'exploit de donner le meilleur d'eux-mêmes, ou encore d'épuiser en vain leurs ressources, l'aîné ayant été le plus gâté du lot.

Une sexualité orientée uniquement vers le plaisir et la jouissance entre un homme et une femme qui sont aussi ses parents confronte un enfant à un paradoxe qui comporte pourtant ses effets salutaires, bénéfiques et structurants pour sa croissance et sa vie amoureuse future. La réalité du désir et du plaisir érotique des adultes, quand elle est révélée ou exposée trop précocement à un enfant, quand elle est découverte trop crûment ou trop brutalement et qu'il n'a ni les moyens ni la maturité suffisante pour la contenir et l'intégrer dans son imaginaire, représente un afflux d'informations et une source d'excitation difficiles à endiguer. Ce trop-plein sera dommageable pour sa propre découverte de la sexualité. Ces expériences de l'amour risquent fort de produire des effets traumatisants et d'être à l'origine de la construction de clivages et de l'élévation de séparations très tranchées ou hermétiques entre érotisme et tendresse, entre plaisir charnel et rêverie amoureuse.

– Moi, j'ai quand même souvent tenté de vous « voir », mais j'arrivais toujours trop tard ou trop tôt ! Le dimanche matin pourtant, je n'ai pas dû passer loin parfois. Je sentais tout un remue-ménage quand je déboulais sans prévenir dans votre chambre. Maman et toi vous vous mettiez tout d'un coup à parler ensemble, à tenter de trouver des tas de prétextes pour que j'aille faire plein de trucs d'une urgence extrême. C'était vraiment drôle de vous voir faire !

– Oui, la rencontre et la fête des corps relèvent de l'intime de la chambre ou du lit des parents. C'est sous la couette ou dans la fraîcheur du petit matin, dans la chaleur ou la moiteur des ébats, dans la sécurité, l'intimité et la confiance en tout cas, que naît l'abandon, ce lâcher-prise nécessaire à la naissance du plaisir pour le couple parental. L'enfant n'a pas à avoir accès à cet intime-là de la vie amoureuse de ses parents. Ce secret d'alcôve est semblable au soleil ! Difficile pour un enfant de le regarder en face sans s'éblouir ni s'aveugler, sans en garder des séquelles !

– Oh ! là ! là ! moi j'aurais bien voulu être éblouie !

– Comme dans la mythologie quand Orphée revient des enfers où il est allé chercher Eurydice, qu'il ne respecte pas l'interdit des dieux, qu'il se retourne quand même et voit ce qu'il ne doit pas voir... C'est ce moment qui est celui d'un traumatisme possible. Ce que les parents taisent de leur vie sexuelle fait partie de ces domaines du réel, qui amènent l'enfant à construire sa part d'ombre au-dedans de lui, sa dualité intérieure, cet autre en soi. C'est ce qui va le conduire aussi à établir une relation à l'inconnu, à l'énigme et aux énergies du mystère qui font place en chacun à l'écoute, au dialogue avec le monde des profondeurs. Par cette voie-là, il est initié à l'importance de ne pas tout dire et conduit à devoir accepter qu'une part d'indicible lui est nécessaire, qui sert à créer des frontières entre les personnes, les sexes et les générations. C'est à partir de là qu'il développera peu à peu sa capacité à vivre en supportant la méconnaissance, cette aptitude qui à la fois ouvre sur l'espace blanc de la page à écrire pour soi et alimente les zones ombreuses et plus floues de l'ignorance reconnue.

– Ce n'est pas aussi facile que ça, papa, en fait on sait plein de choses, mais dans le désordre. À certains moments, entre ce que j'ai entendu dans la cour de l'école, les lectures et les confidences des copines, ça a fait des sacrés mélanges, je peux pas te dire ! Si j'ajoute l'horreur de quelques vidéos pornos visionnées chez les parents absents des copains, je ne sais pas si tu imagines ce que j'ai pu voir ! J'ai d'ailleurs toujours été étonnée de constater que des parents puissent croire que, parce qu'ils sont absents et les vidéos cachées quelque part – même chez Sophie quand le code est mis à la télé –, nous sommes trop naïfs pour ne pas trouver les moyens de traverser tous les obstacles et... de voir quand même !

– Oui, toutes ces découvertes éparses sont une chose, c'est tout à fait autre chose que de pouvoir les réunir et coller ses informations et ses connaissances sur ses parents. L'enfant a besoin de cette opacité du mystère pour construire l'écran de protection de sa propre intimité. Pour développer son propre droit au secret, car s'il existe des mauvais secrets qu'il n'est pas souhaitable de garder, il y a aussi des bons secrets, des secrets nécessaires. Il y a des silences lourds, gênés ou gênants qui peuvent envahir les pensées de l'enfant ou attiser à l'excès sa disposition à la curiosité, mais aussi les silences évocateurs d'une vie amoureuse satisfaisante des parents. Ils vont entretenir les fantaisies intimes de l'enfant et développer chez lui le pressentiment que l'amour est avant tout une expérience à vivre, avec ses tâtonnements, ses ajustements, ses peurs et ses plaisirs.

– Ça c'est le psycho machin-chose qui parle !

– Peut-être que tu me vois comme ça, mais je crois profondément que le droit au secret est fondamental. Tout enfant en a besoin pour ne pas se sentir dans un rapport de transparence avec ses parents, pour être suffisamment rassuré sur le fait qu'il existe bien en tant que sujet et que ses pensées lui appartiennent en propre, c'est-à-dire qu'elles ne sont pas tout le temps lisibles en le regardant dans les yeux, ou devinables par le petit doigt qui sait tout. Ne pas avoir cette garantie entretient la méfiance, le sentiment de persécution, expose au vécu de l'intrusion et à la crainte d'être envahi. Les secrets qui portent sur les activités de plaisir des parents sont bénéfiques aussi pour les enfants en ce sens qu'ils permettent leur autonomisation affective et psychique. Sentant que leurs parents trouvent du plaisir en dehors d'eux, ils en sont parfois jaloux dans un premier temps : « Desserrez-vous ! » criais-tu dans ta colère, en fonçant sur nous la tête la première, tel un taureau furieux, cherchant à nous éloigner pour faire ta place entre ta mère et moi, sur le canapé devant la télévision ou lors de nos promenades ensemble... « C'est insupportable à la fin, vous êtes tout le temps collés ensemble ! » murmurais-tu avec une rage non retenue. Ou encore plus tard : « Vous en profitez toujours quand je ne suis pas là pour faire des choses intéressantes, vous le faites exprès ! » « Ouais, je sais bien ce que vous faites quand vous m'envoyez passer le week-end chez des amis pour me changer d'air ! Je sais bien que c'est pour faire l'amour toute la journée sans moi ! »

87

Le « sans moi » visait bien sûr à nous culpabiliser à mort ! Tu savais mettre le paquet et jouer le grand jeu dans ces moments-là.

Mais en même temps, à terme, ces enfants se trouvent surtout soulagés de la charge, de la responsabilité ou de la mission de rendre heureux leurs parents. Cette capacité à pouvoir vivre des plaisirs secrets est aussi pour les parents un moyen de permettre à l'enfant d'avoir droit à son propre jardin secret.

-     - - - - - - -

La réalité à laquelle j'avais cru jusqu'à présent n'était donc qu'un vaste mensonge. Les autres maîtresses, elles aussi, devaient avoir leur place dans ce bestiaire libidineux, sur le marché des passions où fermentaient les appétits de chacun. L'inoffensive marchande de bonbons elle-même pouvait fort bien être une femme, tout comme... Non, je m'arrêtais. Il était clair que ma mère était vierge, d'un sexe à peine féminin, une simple maman évidemment libérée des affres de la recherche du plaisir. Mon père, lui, avait peut-être des désirs (et encore...), mais ma mère, non. Non !

Alexandre Jardin

- -

Avec toi, mon enjouée, nous n'avons fait qu'effleurer par petites touches impromptues ce sujet si délicat de la fête des corps. Du désir au plaisir s'ouvre un monde d'expériences si diverses, si complexes, si profondes et si intimes que tout discours ne représente que la partie visible d'un immense continent immergé aux ramifications infinies. Ces découvertes-là sont nécessairement difficiles à transmettre par le seul langage des mots.

Nous n'avons jamais rien dit, jamais rien partagé de cette intimité, juste quelques commentaires allusifs hasardés comme des tentatives de lever le voile sur le mystère. Quelques évocations ou quelques remarques lancées par toi aux petits déjeuners de certains dimanches matin.

– Eh bien, je ne sais pas si j'ai eu des insomnies ou si c'est vous qui m'avez réveillée, mais j'ai entendu que c'était la fête cette nuit ! Heureusement qu'il n'y a pas de voisins aux alentours, sinon ils auraient pu croire que maman rendait l'âme !

– Qu'est-ce que tu vas imaginer là ? répondait l'intéressée. C'est ton père qui a du mal à retenir ses émotions !

– Mais pas du tout, voyons, c'est elle qui se sert chaque fois de vous, en me disant : « Arrête, arrête, tu vas réveiller les enfants... » Les voisins, je suis bien persuadé qu'elle s'en fiche éperdument !

Nous avions aussi inventé tout un code personnel autour de cette question. Il avait ses rites et son vocabulaire spécifiques connus de nous seuls, qui participaient à constituer notre patrimoine familial de petites histoires intimes et à alimenter nos plaisanteries. Il comportait toute une échelle de valeurs qui allait crescendo. On partait faire la sieste et l'une ou l'autre des filles déclarait à la cantonade : « Ah, ils vont encore se royaumer ! » Ou encore, s'appuyant sur une chanson à la mode en ce temps-là : « Ils sont allés faire un tour au paradis des gens heureux ! »

Parfois la plus concernée annonçait la couleur au début de la matinée : « Il ne faut pas trop compter sur moi aujourd'hui, votre père m'a envoyée dans les étoiles. Je sens que je vais y rester encore un peu. »

Mais le sommet du plaisir, notre septième ciel à nous, du moins celui dont on osait témoigner avec des mots, se résumait à deux expressions : « J'ai touché du doigt le sein de Vénus... » À ce moment-là, les enfants, feignant d'être offusqués, corrigeaient et reprenaient en chœur : « Le mont de Vénus ! » tout en s'appliquant à bien appuyer sur le mot « mont ».

Nous avions aussi une formule complètement déjantée mais qui soulevait chaque fois des soupirs, des murmures ou des ricanements : « Cette nuit, Jupiter aurait pu sortir de sa cuisse... »

Mais tous ces souvenirs-là, c'était au temps de l'insouciance, des joyeusetés et de la fraîcheur de l'enfance. L'époque de l'adolescence arrivée, un temps de pudeur, de retenue, de silence s'est installé pour longtemps.

Il y eut aussi de grands débats qui se prolongeaient tard dans la soirée, avec les amis proches. Ils portaient tantôt sur l'existence confirmée par les uns, niée par les autres, du fameux point G dont il était tant question à l'époque, tantôt sur les femmes-fontaines, sur la différence chez les hommes entre l'éjaculation et l'orgasme, sur les possibles et les impossibles de la liberté amoureuse, sur ce que pouvait être exactement le septième ciel pour l'un et pour l'autre. Je me souviens en particulier des réserves et des restrictions évoquées par ceux qui prêchaient surtout le naturel en amour : « Moi, je fais avec ce que la nature m'a donné, pas plus ! » et des vantardises avancées par ceux qui revendiquaient une créativité sans bornes : « Moi, je fais avec *tout* ce que la nature m'a donné. »

Et les discussions n'en finissaient pas sur ce « tout » qui semblait séparer la nature de la culture amoureuse.

Comme j'avais beaucoup écrit sur la rencontre des corps, j'ai eu droit à des commentaires gentiment moqueurs :

– Papa qui ne croit pas aux vies antérieures doit quand même avoir vécu plusieurs vies d'homme et de femme pour savoir tout ça... Ou alors c'est qu'il a été confesseur, gynéco ou sexologue, à la fois clone de Casanova et amant de Régine Deforges !

– Rien de tout cela, j'écoute, j'écoute...

– Oui, ça c'est ce que tu dis ! Tu écoutes peut-être, mais alors je ne veux même pas imaginer où tu poses ton oreille !

Avant que le sujet ne devienne scabreux, on se lançait dans un inventaire coquin ou paillard, et l'on passait en revue les mœurs connues et imaginées de nos amies les bêtes, ou les aventures des héros de la vie amoureuse.

— De toute façon dans ce domaine, il n'y a pas de modèle, il faut tout inventer.

— Inventer oui, mais pas seulement dans sa tête, encore faut-il surtout oser avec son corps et tous ses autres langages !

- -

On parle ce langage sans l'avoir appris, mais il faut écouter, apprendre à recevoir, attendre pour donner. On aime ce langage pour lui-même, mais on sent bien qu'il mène quelque part. Chacun choisit le nom du cercle de lumière au bout de son allée. Que la lumière est belle, au bout de l'allée la plus longue ! Chacun choisit. Moi, les gestes de l'amour me mènent à l'enfance. Je suis dans tes six ans, après quand tu te blottis contre moi, tu me rends la moitié du monde, souviens-toi.

Philippe Delerm

- -

Mamans et mères, papas et pères avant ou après la séparation...
Quelques repères

- -

Je ne t'aime plus mon amour.
Je ne t'aime plus tous les jours.

Manu Dibango

- -

Et bien sûr, dans les mois qui précédèrent ou qui suivirent ma séparation d'avec ta mère, il y eut de nombreuses questions déstabilisantes qui m'insécurisaient. Des questions qui, chacune à sa façon, criaient ta panique : « Vous ne pouvez pas me faire ça à moi ! C'est sûrement de ma faute. Je vous promets d'être sage et de bien travailler à l'école si vous revenez ensemble. Mais dites-moi que c'est pas vrai que c'est pas pour toujours ! »

- -

... Ensuite papa nous a tenu la jambe avec les atomes, les satellites, le déclin général de l'univers, les éclairs de chaleur qui rechargent la croûte terrestre en courants variés nécessaires à la chlorophylle, à l'arôme des confitures, à la sérénité des abeilles. Je ne comprenais rien jusqu'au moment où il a dit :

— Cette sagesse antique est ma solitude, les enfants, et je n'ai pas le droit de vous l'imposer. C'est pourquoi Robinson part seul avec ses figues sèches et ses théories.

— Divorce à l'horizon, s'est écrié Ben en tapant dans son poing. Il l'a dit, Zoé, il l'a dit ! On est orphelins, ma Zozo, c'est un lâche !

Papa s'est radiné dans la pièce, l'air embêté quand il a vu nos bouilles d'enterrement. On ne vide pas la mer avec des petites cuillères, et les yeux c'est pas plus grand. Toute la boîte de Kleenex y est passée.

Yann Queffélec

- -

En cette fin de vingtième siècle, les femmes restent les seules qui, du moins pour l'essentiel, continuent d'élever « les enfants ». Les leurs, déjà, et parfois ceux des autres...

94

Oui, les tâches de soins, d'éducation et d'accompagnement indispensables au grandissement des enfants ne sont pas encore, loin s'en faut, « justement » réparties, partagées, amplifiées par chacun des protagonistes du couple. C'est que le métier de parent ne s'apprend nulle part.

Chacun des partenaires du fameux couple dit nucléaire, constitué d'un homme et d'une femme qui, un jour, ont décidé (de plus en plus aujourd'hui avec la maîtrise de la procréation) de transmettre la vie, de devenir géniteurs, ne sait jamais tout à fait à l'avance ce qui l'attend, dans la rencontre à long terme avec sa différence et sa complémentarité.

Ni ce qui se révélera pour chacun dans l'épreuve de confrontation de ses rêves, de ses aspirations ou de ses croyances avec cette réalité concrète, tangible et quotidienne qu'est le fait d'être ou de devenir parent.

Au départ, bien sûr, chacun anticipe un futur dans lequel il projette son imaginaire, ses références implicites ou conscientes au modèle du couple parental de ses origines. Mais il n'est pas certain que l'un et l'autre entendent qu'au-delà de la conception et de la gestation la parentalité inclut aussi l'élevage, la recherche d'une cohérence, l'accompagnement durant de longues années d'un enfant (et de plus en plus aujourd'hui avec l'augmentation de la dépendance liée aux études). Car ni l'un ni l'autre n'ont été sensibilisés à ces niveaux de réalité et à l'importance d'inventer des modèles et des repères nouveaux dans ce domaine.

Le mot « élevage », que j'utilise volontairement, je voudrais qu'il soit entendu au sens plein et noble du terme : élever un enfant pour lui permettre de grandir, de s'épanouir, d'accéder à son autonomie pour s'aventurer à la conquête de sa propre existence, tout en étant bien planté, bien ancré et enraciné. L'amour parental est le seul amour qui soit offert pour permettre à un enfant de quitter ceux qui, justement, lui ont donné cet amour, à l'intérieur d'une relation de soins, d'échanges et de témoignages.

Il ne suffit pas de donner la vie ou plutôt de la transmettre, encore faut-il préparer à l'existence un être qui naît inachevé et qui deviendra progressivement un bébé, puis un tout jeune enfant, et plus tard un adolescent qui aura à se confronter avec la vie. Un être qui va mûrir et grandir au cours d'une croissance dont le mouvement va se déployer dans les domaines physique (grandir), psychique (s'autonomiser), social (s'adapter).

Aujourd'hui, le couple dit nucléaire se défait de plus en plus, la « famille » (quel mot curieux ici !) monoparentale ou recomposée devient une quasi-référence dans les cours d'école. Une femme et un homme séparés vont tenter, chacun à sa façon, d'accompagner un enfant après la rupture conjugale. Non sans mal, non sans s'achopper à quelques écueils que je souhaiterais dénoncer ici.

C'est sur la dynamique et les enjeux de cette séparation que je voudrais maintenant faire porter mon interrogation et ma réflexion.

Je vais commencer par traiter du cas le plus habituel, c'est-à-dire celui où les enfants sont confiés à leur mère.

Je n'oublie pas cependant la souffrance silencieuse et étouffée ou violente et orageuse des pères qui se voient retirer la garde des enfants, et dont les temps de relations réelles se limitent à quelques fins de semaine et à la moitié des vacances.

Je rappellerai à cette occasion que ce dont souffrent le plus les enfants du divorce, ce n'est pas tant de la séparation elle-même que du conflit, de la guerre d'influence ou de la disqualification qui continuent à se vivre et à se perpétuer entre les ex-conjoints, par leur intermédiaire. Ce constat n'est que trop connu et dénoncé.

Ce qui est peut-être moins repéré, c'est le prix fort que paient bien souvent les femmes en prenant sur elles de combler ce qu'elles croient être les manques dont souffrent leurs enfants. J'ajouterai ainsi qu'il serait important que les mères sortent de ce mythe ou de cette croyance très répandue qu'« elles doivent remplir tous les rôles, assumer toutes les fonctions », en particulier celles qui sont défaillantes ou laissées vacantes parce que non remplies ou exercées par le partenaire qui se retire, qui fuit ou qui reste dans le réactionnel.

Et j'introduis à ce propos ce qui pourrait être considéré comme une première règle d'hygiène relationnelle en matière de séparation : vis-à-vis des enfants dont elles ont la charge, et outre leur rôle de femme avec une vie professionnelle, les femmes divorcées, séparées, seules ou en couple reconstitué, ne peuvent jamais exercer que la fonction de mère et de maman.

C'est un leurre fréquent qu'elles entretiennent et dont elles se grisent parfois, en voulant croire qu'elles vont pouvoir ou qu'elles doivent pouvoir remplacer en son absence le père et le papa. Un leurre qui est source de multiples malentendus et qui comporte bien des risques pour le développement des enfants. Elles s'approprient la responsabilité de combler les manques à ce besoin réel chez l'enfant d'un papa et d'un père. Alors qu'il leur appartient seulement d'entendre, de respecter ce besoin, mais non pas d'y répondre elles-mêmes.

Il importe qu'elles sachent laisser à leur ex-partenaire son espace, fût-il symbolique (en exigeant par exemple qu'il paie une pension alimentaire décente et régulière). Ce n'est pas parce qu'il a disparu dans la nature qu'il n'est pas possible de proposer à l'enfant une référence symbolique à son géniteur (photo, dessin) accompagnée d'un commentaire : « Ce géniteur que tu as eu ne peut pour l'instant, et pour des raisons qui lui sont personnelles, exercer ni sa fonction de père, ni celle de papa ! »

Cela également quand les enfants sont confiés à leur mère et que le rôle du père est assumé de façon plus occasionnelle ou labile par l'ex-mari. Il est important pour ces mères de ne pas cultiver le réactionnel. À cela plusieurs raisons.

Certains hommes et certaines femmes, devant la rupture du lien conjugal, vont se comporter bien souvent en maltraitant plus ou moins volontairement, plus ou moins consciemment le lien parental, comme si c'était celui-là qui avait été rompu.

Avec pour conséquences de nombreuses tentatives de culpabilisation de l'autre parent, des conduites pathétiques, des tendances dépressives et désespérées pour faire payer ou tenter de résoudre par relation parentale interposée ce qui n'a pas pu se traiter, se dire ou se vivre pleinement dans la relation de couple. Cette responsabilité-là appartient à chaque membre du couple et fait partie des principaux devoirs que devraient se donner les moyens d'assumer les adultes qui se séparent.

Certains adultes vont donc se nier ou se désolidariser de leur fonction de père ou de papa, de mère ou de maman, en introduisant parfois cet enjeu féroce et virulent dans les critiques, les reproches et les accusations qu'ils vont se lancer l'un à l'autre. Dernières munitions de la guerre du couple pour maintenir un semblant de lien, fût-il conflictuel.

Une séparation signe une brèche qui s'est ouverte, puis élargie en désaccord dans le couple. Une brèche profonde qui a touché aux points de non-retour, aux zones non négociables pour l'un ou pour l'autre.

« Évidemment, maintenant que je lui ai dit ce qui n'allait pas, il fait des efforts, mais c'est trop tard, ça fait pas naturel, c'est trop gros, j'aurais voulu que ça vienne de lui-même. Ce qui m'énerve, c'est que maintenant devant les gens il fait le mari modèle, il a des attentions pour moi, dès qu'un enfant pleure il se lève alors qu'il ne l'a jamais fait avant. Si je lui demandais la lune il irait me la décrocher, mais c'est trop flagrant. Je ne sais pas s'il peut changer du jour au lendemain, si ça va tenir dans le temps. Je me dis : on ne m'achète pas, j'aurais voulu que ce soit plus tôt. Je ne veux plus rien recevoir de lui. J'ai trop attendu. C'est comme le train qui ne vient pas, au bout d'un moment vous vous dites : il ne viendra plus, et vous n'attendez plus... »

Et pour mieux entendre ce qui se joue dans une dynamique de séparation et mieux clarifier ses enjeux, je propose de remonter à la préhistoire du couple.

◆ ◆ ◆

Je suppose que Jean rencontre Marie. Ils se découvrent et s'aiment. Leur relation amoureuse naissante va se prolonger et se consolider autour d'un projet de vie commune en couple.

Je parle de **relation de couple** si la relation amoureuse s'installe dans la durée. J'utilise ce terme générique, quelles que soient les modalités choisies au niveau de l'organisation de la vie à deux, au quotidien.

Je réserverai le terme de **relation conjugale** à la relation de couple confirmée dans un engagement officiel tel que celui du mariage.

L'évolution s'effectue sous la forme d'un renforcement, d'une sécurisation ou d'une consolidation du lien. Le jour où un enfant naît, la relation de couple va se doubler d'une **relation parentale**. En venant au monde, l'enfant nous fait naître dans la grande humanité des parents.

Si le scénario se poursuit en discordes, incompatibilités, malentendus, s'il évolue vers une dissolution du couple et une décision de séparation, est-ce bien clair dans l'esprit de chacun que c'est le lien de couple ou le lien conjugal qui est rompu et non pas la relation parentale ? La confusion est fréquente entre ces deux liens tellement ils sont intriqués et mélangés avec les aspirations personnelles au bonheur que chacun peut entretenir au fond de lui. Cette confusion s'exprime à travers cette expression courante : « Papa ou maman va partir, papa m'a quittée... »

Pour bien clarifier à quel niveau se situent les réalités, je propose d'apprendre à dire non pas : « Je quitte maman ou je quitte papa » mais plutôt : « Je quitte ma femme, ou je quitte mon mari. »

Une femme se sépare de son mari, un homme quitte sa femme. C'est bien un des membres du couple, qui décide de ne plus poursuivre avec l'autre un projet de vie, une relation amoureuse et sexuelle, et de mettre fin à un engagement de présence et de soutien mutuels. Pourtant l'énoncé de cette décision est bien souvent confus : « On se quitte. »

La séparation ou le divorce portent bien sur la relation de couple ou conjugale. Est-ce bien présent dans l'esprit de chacun que la relation ou le lien parental doit être maintenu ? Ainsi que la solidarité obligatoire qui en découle. Solidarité obligatoire même si elle n'est pas choisie en tant que telle, d'où les risques de tensions...

Ce qui va être rompu et interrompu, c'est le lien conjugal.

Ce qu'il est important d'apprendre à maintenir, à nourrir, c'est le lien parental. Il serait donc déjà souhaitable qu'il soit reconnu et nommé pour lui donner une existence et le valoriser.

Chacun pourrait s'engager mutuellement avec l'énoncé suivant :

« Je quitte ma femme (mon mari) mais je continue à voir cette femme (cet homme) comme ta mère (ton père) et je souhaite qu'elle (qu'il) continue à me voir comme ton père (ta mère)... »

Cette déclaration liée à une démarche de séparation[1] serait confirmée aux enfants qui en seraient soulagés, eux qui souvent, dans un élan de toute-puissance zélée, veulent se charger de la mission de renouer le lien conjugal pour tenter de reconstituer le couple. Il ne s'agit pas de chercher à les déposséder trop vite d'un sentiment de culpabilité qui a une fonction d'appropriation, mais déjà de nommer sa place d'enfant.

Cette confirmation pourrait être aussi adressée à l'entourage et surtout à la famille directe et à la belle-famille[2] ! Cette déclaration constituerait l'engagement officiel de chacun des parents à maintenir et poursuivre leur participation à deux fonctions importantes :

♥ pour la femme, la fonction de maman et celle de mère ;
♥ pour l'homme, la fonction de papa et celle de père.

Quelques précisions sur ces deux fonctions qui, malgré leur universalité et leur évidence, sont souvent mal connues et peu identifiées par les uns et les unes. Car elles renvoient tout naturellement à des enjeux affectifs,

---

1. Toute séparation conjugale menace la relation parentale. Paradoxalement, le divorce pourrait être l'occasion d'un renouveau dans un engagement parental plus clair, mieux équilibré.

2. Il est curieux de voir par exemple des beaux-parents qui avaient des sentiments positifs très forts avec leur gendre ou leur belle-fille se sentir obligés d'interrompre la relation avec eux, après le divorce.

alors qu'elles correspondent en même temps, et sur un autre plan, à des fonctions relationnelles vitales pour le développement d'un enfant.

◆ ◆ ◆

Une *maman*, c'est la partie gratifiante, comblante, oblative de la fonction maternante ; c'est celle qui donne, qui accepte, qui rassure, qui comprend, qui manifeste souvent une incroyable tolérance et bienveillance face aux demandes, aux attentes, voire aux exigences d'un bébé, d'un enfant.

La *mère* sera la partie la plus frustrante, contraignante et exigeante de la fonction maternante.

Un bébé dans les premières semaines et les premiers mois a surtout besoin d'une maman, mais très rapidement aussi il aura besoin d'une mère qui puisse l'aider à croître, d'une mère qui ne lui laisse pas croire que tout est possible et permis, qui sache le confronter à une réalité ponctuelle et dosée, à base d'exigences et donc de refus, de limites et de butoirs, c'est-à-dire de frustrations, puis de demandes. Une mère qui ne va pas duper son enfant, qui ne va pas l'entretenir dans l'illusion que l'univers tourne autour de son nombril et de ses désirs. Une mère qui ne va pas se vouer et se dévouer au service permanent et exclusif de toutes ses demandes.

Je nomme *sevrage relationnel* le passage nécessaire pour un enfant et sa mère de la « maman » à la « mère ». Le sevrage relationnel doit intervenir très tôt dans la vie d'un enfant et être introduit de façon évolutive et adaptée. Il nécessite de multiples aménagements de part et d'autre. Il commence généralement par des refus, puis se poursuit par des demandes.

Par exemple, ce sera d'abord : « Non, bébé, on ne jette pas la cuillère par terre... non, je ne veux pas que tu touches aux plantes... » Puis : « Maintenant tu vas ramasser la cuillère que tu viens de faire tomber ! Tu vas chercher le ballon... »

Mais chacun d'entre nous le sait fort bien, certaines mamans ont du mal à être mères, c'est-à-dire à savoir dire non, à frustrer, à décevoir, à faire de la peine à l'enfant de leur cœur, de leur ventre ou de leur rêve !

À l'inverse, certains enfants voient parfois la maman disparaître trop vite et se transformer en mère, qu'ils vivent alors douloureusement comme trop contraignante ou abusive, une mère à laquelle ils vont déclarer une guerre sans fin, qui se poursuivra durablement dans l'âge adulte...

Un *papa*, c'est celui qui, dans la relation, est avant tout présent. C'est un témoin qui gratifie, accueille, joue, donne du temps, protège et invite à la découverte du monde. Il évite au bébé les risques et les dangers d'une symbiose trop prolongée avec la maman. En étant un tiers actif, organisateur, structurant et consistant, il propose un idéal, un modèle d'identification (tout au moins aux garçons) et ouvre ainsi les portes sur l'univers, à partir de quoi l'enfant peut entrevoir de quitter le cocon maternel pour commencer à voler de ses propres ailes. Et cela dans une relation faite de bienveillance comblante, légère et joyeuse.

Mais encore faut-il qu'un papa sache aussi être un *père*. Un père qui ose interdire, qui limite, qui sanctionne, qui frustre lui aussi l'enfant, qui lui permet surtout de rencontrer la réalité et de se confronter à ses épreuves. Un père qui ne sera pas trop rigide ni trop sévère et qui le protégera suffisamment pour qu'il ne coure pas se réfugier dans le giron de la maman à la moindre difficulté ou au moindre obstacle. Ces quatre grandes fonctions que j'appelle « maman, papa, mère et père » correspondent à des enjeux relationnels qui se répartissent autour des quatre grandes démarches relationnelles que chacun devra introduire de façon équilibrée dans sa vie pour assurer une participation vivante et affirmée dans ses échanges : demander, donner, recevoir et refuser.

Cette confrontation s'effectuera avec des modalités variables selon les capacités, les ressources, les tendances ou les manques de chacun des membres du couple à composer avec son propre clavier relationnel, et en particulier avec sa capacité à pouvoir demander, donner, recevoir ou refuser. Ce sont les défaillances, les carences ou les excroissances et les protubérances dans l'une ou l'autre de ces quatre démarches qui se révéleront aliénantes ou stimulantes, à travers les positions qu'adoptera chacun des partenaires au moment de leur séparation et dans la suite.

De toutes les combinaisons possibles entre la proportion de donner, de demander, de recevoir et de refuser, naissent des scénarios multiples.

D'où des configurations relationnelles, réactionnelles ou défensives et compensatrices comme c'est le cas quand :

• une femme a du mal à être maman, qu'elle se sent obligée de se comporter comme une hypermère devant le manque de père !
• l'ex-conjoint « dépossédé » de son enfant (dans son vécu à lui !), ne le voyant que deux week-ends par mois, se présente à lui comme un hyperpapa, refusant de prendre en charge la fonction plus répressive et plus contraignante de père, sous prétexte que le peu de temps passé ensemble serait gâché par des position-nements frustrants, des exigences ou des directives.

En termes de relation j'associe donc la fonction *maman, papa* à la capacité de donner et de recevoir, et la fonction *père et mère* à la capacité de demander et de refuser. Cette balise peut permettre à chacun de percevoir en quoi les manques ou les carences, les trop-pleins, les hypertrophies et les excès dans l'une ou l'autre de ces fonctions peuvent produire et générer des zones aveugles ou trop meurtries dans l'organisation relationnelle d'un enfant.

Aussi j'invite les hommes et les femmes qui prennent la décision de se séparer à mieux se situer dans chacun de ces domaines.

Je leur propose d'apprendre à se définir et à mettre des mots sur les difficultés qu'ils vont nécessairement rencontrer dans l'exercice de leurs fonctions de mère et de maman, dans celles de père et de papa, et d'échanger à ce propos avec leur ex-conjoint ou partenaire.

Non plus en termes de reproches, d'accusations ou de disqualifications, mais en termes de témoignages et de ressentis intimes. Car, dans ces périodes de changement, de rééquilibrage et de vulnérabilité, de nombreuses blessures sont réveillées en chacun. Ces blessures qui renvoient évidemment l'un et l'autre des parents à ses propres positionnements d'enfant vis-à-vis d'une maman ou d'une mère, d'un papa ou d'un père, trop présents, défaillants ou antagonistes et en conflit à l'intérieur de leur propre histoire d'enfant ou de bébé.

- -

L'impossible, nous ne l'atteignons pas, mais il nous sert de lanterne.

René Char

- -

Requête audacieuse d'un ex-enfant qui ne tient pas à divorcer de ses parents [1]

À vous mes parents,

Voici la lettre que j'aurais voulu pouvoir vous écrire il y a quelques années.

Vous vous êtes séparés quand j'étais petit. À l'époque, je n'ai pas pu vous dire vraiment comment je vivais cette situation de conflit et de désaccord entre vous. Je n'ai pas su m'exprimer autrement qu'en tentant de vous faire signe à ma façon. J'ai cherché à attirer votre attention sur moi comme j'ai pu, avec mes pipis au lit, mes réveils en pleine nuit, mes angines à répétition, mes bêtises ou mon désintérêt pour l'école et mes difficultés scolaires.

Depuis, comme j'ai vu à quel point ça pouvait être difficile pour des adultes de se parler, j'ai eu envie de pouvoir mieux communiquer et j'ai lu plein de livres,

---

1. Cette lettre est une utopie. Elle aurait pu être écrite par l'un de mes enfants ou par un ex-enfant dont les parents se sont séparés (ou se séparent). Elle regroupe des revendications, des griefs fréquents d'enfants qui ont connu la séparation de leurs parents. Ce texte est inspiré en partie de « Lettre à nos parents » dans « La médiation familiale à l'écoute des enfants » de Francine Cyr, *Le Journal des psychologues*, dossier *Le Divorce*, février 1999.

puis j'ai participé à des ateliers de communication. C'est un endroit où on peut rencontrer des gens et où on peut apprendre à communiquer. Ça m'a fait du bien. D'abord je me suis rendu compte que je n'étais pas tout seul à avoir des problèmes, et j'ai compris que je n'étais ni anormal, ni fou, ni détraqué. Ça m'a aidé à mieux vous comprendre aussi, parce que je réalise que si on communique tout le temps dans la vie, on improvise en fait en permanence, on s'exerce sur le tas au risque de se planter, mais que nulle part on n'apprend vraiment. Alors vous aussi vous étiez démunis tout comme moi, vous n'aviez pas pu apprendre.

Moi, dans ces lieux de parole, ces oasis relationnelles, j'ai pu dire ce que je ressentais, ma tristesse, ma colère ou ma révolte, sans me sentir jugé. J'ai surtout appris à me dire. J'ai aussi acquis des repères qui m'aident aujourd'hui à y voir plus clair et à mieux comprendre dans quel méli-mélo je me suis moi-même fourré au moment tumultueux de votre séparation et pendant les années qui ont suivi.

Avec cette lettre je voudrais m'adresser à chacun de vous qui êtes et resterez mon papa et ma maman. Je ne l'écris pas contre vous mais pour moi, pour tenter de vous faire part de mon vécu et de mon expérience d'enfant dont les parents se séparent (ou sont séparés).

Je tiens surtout à témoigner, en vous disant aujourd'hui ce qui a pu me faire souffrir, moi, dans le climat d'orage qui régnait entre vous.

Je voudrais juste attirer votre attention sur quelques points qui me paraissent importants. Je prends bien sûr le risque d'évoquer des choses qui ne vous plairont pas et même qui vous blesseront peut-être. Cette mise au point et la rencontre et l'échange que j'en attends me sont nécessaires pour une relation plus claire, plus vraie et plus vivante entre nous, de moi à vous déjà.

Je ne cherche pas à vous juger, à vous accuser ou à vous blâmer. Je ne souhaite pas non plus savoir qui a tort ou qui a raison dans cette histoire qui est celle de votre couple. Je ne veux même pas savoir si les torts sont partagés à « cinquante-cinquante ». Tout ça, c'est de la cuisine familiale. Je ne peux rien en faire, c'est l'évaluation comptable que je vous laisse le soin de traiter avec votre avocat si ce n'est pas encore fait, ou avec votre conscience. Moi, ce qui me concerne c'est la relation que j'ai avec chacun de vous.

Je ne vous demande pas non plus, comme enfant, de vous justifier dans vos choix ou vos décisions. Ils vous appartiennent.

J'aurais voulu prendre appui sur votre capacité à pouvoir penser à moi, sur votre souci de m'épargner, moi votre enfant. J'aurais souhaité pouvoir en appeler à l'ouverture au changement, à la sensibilité et au bon sens que je sentais en chacun de vous, au-delà de vos ressentiments et de vos rancœurs. J'aurais voulu pouvoir tabler sur vos ressources et tout particulièrement sur votre inventivité et votre créativité. Je m'apercevais que vos compétences dans ce domaine pouvaient être prodigieuses parfois, et que vous ne manquiez pas d'imagination quand vous le vouliez. Pour ça, j'aurais donc voulu compter sur vous, mais dans le bon sens. Pas pour démolir encore plus, pas pour vous venger ou faire payer je ne sais quoi à je ne sais qui, mais pour construire, pour essayer de trouver un espace de rencontre où il aurait été possible d'envisager positivement les responsabilités qui étaient les vôtres en tant que parents ne vivant plus ensemble.

J'aurais attendu que vous puissiez faire preuve de maturité, même si je savais bien que ce n'était pas facile pour vous et entre vous à ce moment-là. J'aurais attendu aussi que vous puissiez m'entendre et me répondre chacun en votre nom personnel sans en passer par le recours aux critiques de l'autre, sans vous accuser mutuellement et vous rejeter les responsabilités, sans jouer les pauvres victimes. C'était déjà assez triste comme ça. J'aurais espéré que mon message vous aide et qu'il soit surtout l'occasion d'une réflexion sérieuse et approfondie, silencieuse et centrée sur chacun de vous. Peut-être que ce que je vous aurais dit aurait pu vous amener à vous occuper de vous et de vos besoins individuels et personnels, au lieu d'attendre tout de l'autre ou de votre « couple », comme s'il s'était agi d'une valeur refuge aux vertus magiques.

J'aurais voulu vous dire surtout ce qui, dans ma vie d'enfant de parents séparés, m'était le plus pénible, le plus usant, le plus angoissant ou le plus insécurisant, ce qui me rendait tout confus et mélangé.

Moi, papa, ça me faisait pleurer quand tu te disputais avec maman, ta femme. Maman, ça me rendait tout triste aussi quand tu te disputais avec papa, ton mari. Je pensais que vous auriez dû vraiment réfléchir à tous les reproches que vous aviez à vous adresser l'un l'autre et que vous auriez dû plutôt vous demander ce que ça vous faisait de constater que vos sentiments avaient changé et que votre relation n'était plus comme au début.

Papa, je n'aimais pas quand tu agissais en ne tenant pas compte de ce que disait maman, ta femme. Maman, je n'aimais pas non plus quand tu faisais exprès de faire les choses juste pour embêter papa, ton mari.

Maman, je trouvais malheureux que tu t'en prennes toujours à moi, et que tu m'accuses d'être comme mon père, ton mari. Papa, j'étais peiné quand tu me disais que tu ne voudrais plus jamais entendre parler d'« elle », ma maman.

Papa, j'aurais voulu avoir le courage de te dire que je n'étais pas le pigeon voyageur ou le détective chargé de te raconter tout ce que faisait maman, ta femme. Maman, j'ai tenté plusieurs fois de te dire que je ne pouvais quand même pas m'excuser de vivre et me priver de m'amuser chaque fois que j'allais chez papa, ton ex-mari, qui vivait alors avec une ancienne amie à toi. Mais j'ai tout le temps peur de te faire encore pleurer.

Maman, j'aurais voulu que tu comprennes que je n'étais pas ta copine ou ta confidente. C'était pas bon pour moi de t'entendre me raconter tes histoires intimes et tes insatisfactions dans ta relation avec papa, ton mari. Papa, je n'aimais pas être prise à partie avec tes allusions grivoises.

Maman, je n'osais pas te rappeler que papa ne voulait pas te répondre au téléphone. J'étais là le jour où il te l'avait dit. Moi, j'en avais marre de jouer les standardistes stylés. Papa, j'étais mal à l'aise dans ce rôle de secrétaire qui devait toujours inventer une bonne raison pour dire que tu n'étais pas là. J'avais pas envie de mentir tout le temps. Des fois il fallait dire ce qui n'était pas vrai, d'autres fois il ne fallait pas dire ce qui était vrai, moi je savais plus où j'en étais. J'y comprenais rien.

J'en avais assez aussi d'être ballotté entre vos contradictions. Des fois c'était comme si j'avais pas été là, vous n'aviez pas beaucoup d'égards pour moi quand vous commenciez à parler de choses qui fâchent. D'autres fois, c'était moi qui devais décider pour des choses trop importantes pour moi. J'étais trop petit pour pouvoir dire avec qui je voulais vivre. Moi, je vous aimais tous les deux. Comment voulais-tu que je te réponde librement, papa, quand tu me posais cette question, chaque fois que maman était partie faire les courses, et que je te sentais à la fois malheureux, triste et en colère contre ta femme ?

Moi, maman, je t'aimais, et je me sentais aimé par toi. Mais je sentais aussi que tu avais tellement de mal à me dire non, et à me refuser quelque chose par peur de me faire de la peine, que ça m'était difficile d'être livré à mes seules envies. Comme je ne rencontrais pas de limites à l'extérieur de moi, c'est moi qui devais les trouver en moi. Quand je suis devenu plus grand, j'ai eu besoin de vivre chez papa, ton ex-mari. Je savais que je serais moins tenté de sortir tout le temps et que je pourrais mieux travailler le soir.

Maman, papa, j'aurais bien voulu ne pas vivre seulement en fonction de votre séparation. J'aurais voulu ne pas être seulement un paquet que vous vous renvoyiez, une monnaie d'échange ou un otage entre vous, un objet de calcul au centime ou à la virgule près pour la pension alimentaire, ou à la minute près pour les heures de départ ou de retour le week-end ou au moment des vacances. Toute cette énergie que je vous voyais dépenser de la sorte, je me disais souvent qu'elle aurait pu m'être bien utile si vous aviez pu apprendre à l'utiliser autrement. Mais je ne savais pas comment faire pour ça...

Maman, je n'aimais pas te voir aigrie et en vouloir à tous les hommes de la Terre parce que ton mari t'avait quittée. Si je t'ai demandé de faire quelque chose pour toi, c'était parce que moi, je n'avais pas envie de porter toute ma vie tes griefs et tes insatisfactions de femme. Papa, c'était dur pour moi de voir que tu ne te remettais pas de cette séparation et que tu restais tout le temps tout seul. Moi, je grandissais et je savais bien que je ne pourrais pas tout le temps rester là, avec toi.

Je reconnais que j'avais parfois l'impression d'être dans la cour de récréation et d'avoir devant moi deux gamins qui se chamaillaient, mais je vous voyais bien comme mes parents. Je vous voyais aussi comme un homme et une femme qui avaient eu entre eux une relation de couple, même si à ce moment-là elle était plutôt maltraitée, sabotée, tarabustée et mise à mal. De cette relation-là, j'aurais souhaité avoir les moyens de me mêler le moins possible. Si j'avais su ce que je sais aujourd'hui, chaque fois que je me sentais pris à partie pour critiquer l'autre ou parler de lui, je vous aurais renvoyés à votre relation de couple : « Je te laisse le soin d'en parler ou de le dire à ton mari (à ta femme) », « Je ne me sens pas concerné ou apte à faire quelque chose pour toi à ce niveau-là... qui concerne la relation que tu as avec ton mari (ou ta femme). »

Déjà quand vous parliez l'un ou l'autre de votre conjoint en disant « maman » ou « papa » je ne m'y retrouvais pas bien. Papa, c'était mon papa à moi. Pour

115

toi, maman, c'était ton mari. Même chose pour toi, papa. Maman, c'était ma maman à moi, pour toi « maman » c'était ta maman, ma grand-mère. Ma maman, c'était encore ta femme. Alors je trouvais que ça m'aurait beaucoup aidé si vous aviez pu dire : « Je quitte... » ou : « J'ai quitté ma femme, ou mon mari. »

Parce que quand vous disiez : « Je quitte papa (ou maman) » ou : « Maman (ou papa) va partir » je ne voyais pas bien où était l'homme ou la femme qui me parlait, je ne savais pas bien qui était l'enfant, qui était le grand. Il faut bien qu'il y ait de temps en temps quelqu'un de grand dans une famille. Si c'était pas au moins l'un de vous, je me croyais obligé de m'occuper de vous ou de vous protéger parce que je vous sentais en difficulté, et c'était moi qui devais me comporter comme un grand, ce qui n'était pas juste. Je ne me sentais pas à la hauteur de toutes ces attentes. Après, j'imaginais aussi que vous alliez peut-être me quitter un jour et j'avais peur de ne plus vous revoir.

Si vous disiez : « On se quitte » ou : « On s'est quittés », c'était pas bien clair non plus, je ne savais pas bien qui quittait qui.

C'était pas facile de vivre avec des parents séparés ou qui allaient se séparer, mais, même si j'avais mal, cette souffrance restait malgré tout la mienne, et la vivre jusqu'au bout aurait pu aussi m'aider à grandir, à condition de ne pas mûrir trop vite quand même et de ne pas être mis en situation de devoir m'occuper de vous ou de vous protéger. Moi, j'avais droit à mon enfance. J'avais surtout besoin de compter sur vous, de sentir que j'avais toujours ma place en tant qu'enfant et que, quoi qu'il en soit, vous restiez solidaires en tant que parents même si vous ne viviez plus sous le même toit et que vous n'étiez pas d'accord entre vous sur plein d'autres choses. Pour moi j'avais besoin de savoir que vous ne seriez jamais mes ex-parents. Je voyais bien que je ne pouvais pas vous empêcher de vous séparer et de divorcer. Mais je ne tenais pas du tout à divorcer de chacun de vous.

Je me voyais bien comme votre enfant, mais en même temps je ne pouvais pas tout pour vous, car je n'étais et je ne suis jamais que votre fils.

- -

Quand on aime, on ne compte pas, mais quand on n'aime plus on compte tout et on fait remonter les comptes aux tout débuts, et sur tous les aspects de la question.

Alain Bouillet

- -

Désirs d'enfants

Cette question-là est venue autour de tes dix-huit ans, quand une de tes copines « qui prenait pourtant la pilule ! » est « tombée » enceinte.

– Et les bébés, papa, il faut en avoir du courage aujourd'hui, pour envisager de faire ou de mettre au monde un bébé !

– Toi, tu penses à l'après, quand l'enfant est là, déjà né, un enfant à élever dans le monde d'aujourd'hui avec toutes les questions que tu peux te poser à ce sujet. Mais moi, je pense aussi à tout ce qui se passe en amont autour du désir. Les bébés viennent de désirs multiples qui ne sont pas toujours les nôtres !

– Comment ça ?

– Eh bien, justement, Catherine, ta copine, d'où vient son désir ? Est-ce bien le sien ?

– Non, sûrement pas ! Elle voulait juste faire l'amour... Et puis, elle était folle de son copain. Elle me parlait tout le temps de lui.

– C'est que les mots et les expressions pour traduire le désir d'un enfant font référence, dans leur formulation même, au sens du désir, à sa direction (vers qui est réellement dirigé le désir ?) et à ses limites aussi. On peut dire par exemple : « J'ai un désir d'enfant. »

« Avoir » un désir d'enfant, être habité par ce désir, peut paraître banal et évident dans son énoncé. Ce souhait est souvent prononcé dans l'intimité d'une rencontre avec un partenaire. Il peut être confié à un parent ou à un proche. Toutefois, ce désir risque d'être justement un désir « d'enfant »...

– Là, tu radotes, papa ! Tu te répètes, tu tournes autour du pot... Un désir d'enfant c'est un désir d'enfant... Y a pas cinquante mille questions à se poser. À moins que ce soit encore un de tes jeux de mots !

– Je veux dire que le désir d'enfant est parfois le désir d'un enfant et non celui d'un adulte véritablement. Un désir qui reste immature, dans le sens où il se confond avec un désir infantile, celui de jouer à la maman, ou d'être vue comme une maman idéale, parfaite.

– Comme quand j'étais petite et que je jouais encore à la dînette avec ma poupée. Moi, j'aimais bien être une petite maman, m'occuper de ma poupée comme d'un vrai bébé...

– Oui, mais tu vois, quand il s'agit d'un vrai bébé et qu'une maman « pour de vrai » s'en occupe ou veut s'en occuper comme d'une poupée, c'est pas pareil ! L'enfant qui sera conçu dans cette dynamique ou dans cet état d'esprit risque d'être un « enfant-jouet » avec lequel la mère va s'amuser à l'idée d'être « maman » d'un vrai bébé, sans s'investir dans le rôle de mère (et les frustrations qu'il comporte soit en direction de l'enfant, soit de sa provenance). La dimension « maman comblante » dominera dans la relation avec une difficulté à être réellement mère. Ou alors la mère pourra être profondément déçue à la naissance, si par exemple le bébé est déjà trop gros et qu'elle a le sentiment de ne pas pouvoir le manipuler comme un poupon. Elle pourra être frustrée de voir arriver un garçon alors qu'elle avait rêvé d'une fille à qui elle aurait pu acheter des robes et mettre plein de rubans dans les cheveux. Une future mère qui s'investit essentiellement dans des attentes d'« enfant-poupée » risque de ne pas pouvoir accepter un bébé qui ne se présente pas sous l'apparence imaginée ou rêvée.

– Et tu appelles ça un désir, toi ? Moi, quand je t'entends, je trouve que ça ressemble plutôt à une commande de bébé sur catalogue !

– C'est vrai que ce qui est parfois exprimé sous l'apparence d'un désir se révèle ou s'avère être, dans la confrontation avec la réalité, non pas un souhait ou un vœu, mais un véritable « Je veux ». C'est ce qui se produit de plus en plus de nos jours. Il y a les enfants qui continuent à venir au monde malgré la pilule, les méthodes contraceptives, les préservatifs et toute l'information qui est donnée au collège ou au lycée. Et il y a aussi les enfants programmés, censés pouvoir être conçus dès l'arrêt de la pilule, après que la future mère potentielle a suivi un régime spécial garantissant la naissance d'une fille plutôt que d'un garçon ou l'inverse. Et puis rien ne vient... Alors c'est la succession des examens, puis l'assistance médicale à la procréation. Et dans cette course aux démarches et aux actes, je ne reconnais plus tellement la place du désir mais plutôt une sorte d'envahissement de la demande par un *vouloir* un enfant à tout prix.

– Qu'est-ce que tu crois être le mieux, papa ? De ne pas avoir été désiré et de souffrir toute sa vie ou d'avoir été attendu très fort, avec beaucoup de volonté ?

– Je ne sais pas, je constate simplement que c'est parfois tout aussi difficile dans un cas comme dans l'autre. Je constate aussi que nombreux sont les enfants ou les ex-enfants qui se font souffrir avec l'idée de ne pas avoir été attendus. En fait, s'ils ont été conçus, c'est bien qu'il y avait un désir qui circulait quelque part entre ses géniteurs. Il est possible qu'une femme ne se sente pas prête à être mère, mais au lieu de dire plus tard à son enfant : « Tu n'étais pas une enfant désirée », ce qui la blessera, elle pourrait affirmer : « À l'âge où je t'ai conçue, je ne me sentais pas capable de devenir maman. »

– On peut ne pas avoir désiré son enfant et puis, quand il est là, commencer à l'aimer pour ce qu'il est !

– Oui, cela se passe souvent ainsi. Si parfois les parents font les enfants, c'est toujours les enfants qui font les parents.

– Ça, je le sais, c'est moi qui t'ai appris à être un papa. Mes frères et sœurs devraient me remercier !

– Le désir d'enfant peut correspondre aussi à un très vieux désir de père. On veut un enfant mais surtout un père pour cet enfant. Parfois ce sera un désir de père, pour l'enfant qui est encore en chacun de nous. Cela se confirme bien dans certaines situations. Quand, par exemple, le partenaire se dérobe en annonçant : « Je ne veux pas d'enfant, je n'étais pas d'accord » ou encore : « Tu m'as fait un enfant dans le dos, ce sera lui ou moi... », la génitrice va alors renoncer à cet enfant, en prenant la décision, en acceptant, ou en subissant une interruption de grossesse. Ce désir d'enfant cachait le désir que son partenaire se transforme en père, et en bon père de préférence ! Avec parfois, en arrière-plan, le désir qu'il soit le « papa » qu'elle n'avait jamais eu et dont elle rêvait.

– Alors le désir d'enfant, ça ne veut pas dire toujours la même chose ?

– Eh non ! Entendre le sens et la direction de son propre désir ou des désirs dont nous sommes issus, nous, les ex-enfants, nous éclaire sur les origines de notre histoire, et aussi sur les péripéties qui surviendront au cours de l'aventure parentale.

Le désir d'enfant sera parfois énoncé plutôt sous la forme : « J'ai le désir d'avoir un enfant. » Ce désir répond surtout à un besoin plus archaïque ou plus ancien de comblement. Il peut rejoindre un besoin de puissance, de contrôle, de possession de « quelque chose à soi, rien qu'à soi ».

L'enfant risque alors d'être vécu comme un objet appartenant à la mère. Le père aura du mal à construire sa place malgré toutes les revendications qui seront manifestées en sa direction. Il ne pourra jouer son rôle de « différenciateur » et de séparateur dans une relation qui sera trop fusionnelle. Il peut même être perçu comme un rival par sa partenaire.

– Alors, c'est bien plus compliqué que ce que je pensais... Je ne me sens pas prête à faire un enfant, moi, j'ai encore trop besoin qu'on s'occupe de moi !

– Oui, il vaut mieux réfléchir ou grandir encore un peu. Le désir d'avoir un enfant, à base de possession, peut entraîner des captations, des mises en dépendance. L'enfant devra rester petit, soumis, pour être accepté et aimé. Certaines naissances difficiles – si on veut *avoir*, on aura du mal à lâcher ! – seront la conséquence de ce désir trop fort de posséder et donc de... garder pour soi. L'enfant aura du mal à sortir tout seul !

– Oh ! là ! là ! tu ne vas pas trop loin, tu ne pousses pas ?

– C'est ma façon d'entendre certains désirs au-delà de ce qui est exprimé avec les mots. Parfois, « J'ai un désir d'enfant » peut vouloir dire : « Je veux faire un enfant. » Dans cette dynamique-là du désir, l'enjeu sous-jacent correspond souvent au souci de faire la preuve de quelque chose. Le besoin de se confirmer comme « capable de » sera lié à la conception et, par la suite, à la gestation et à l'« élevage » de l'enfant.

– Là, je comprends rien, tu peux m'expliquer plus clairement ?

– Pour la femme qui envisage un enfant, la grossesse, l'accouchement, la naissance ou le fait de devenir mère seront surtout vus comme le besoin de prouver quelque chose. Ce sera par exemple faire la preuve que :

• « Je suis enfin une vraie femme ! »
• « Je suis capable. » Une fausse couche peut venir clore cet épisode, puisque la preuve du possible de la conception a été fournie. « J'ai été capable, comme ma sœur, de faire un bébé ! J'ai pu enfin montrer à mon père que je n'étais pas un garçon manqué ! »
• « Moi, je l'élèverai mieux que ma mère, je ne renouvellerai pas les erreurs qu'elle a commises avec moi. »

124

• « J'aurai la preuve que mon partenaire tient à moi, qu'il m'aime vraiment, s'il me fait cet enfant que je lui demande. »
• Je suis une fille fidèle : « Papa ou maman, je vais vous faire ce garçon que vous n'avez jamais eu ! »

Ce sera peut-être aussi une protection, un **enfant-écran**, « à mettre entre mon père et moi », si la relation avec lui est trouble ou trop chargée de désirs. Ou encore un **enfant-ciment**, destiné à consolider une relation de couple qui s'effrite. Un **enfant-fondation**, pour confirmer le sentiment sécurisant d'appartenir à une vraie belle-famille. Beaucoup d'autres enjeux subtils sont difficiles à reconnaître dans cette phase de la vie où s'exprime le désir, mais ils se révéleront par la suite dans leur complexité et parfois leur ambivalence ou leurs paradoxes.

— Avec tout ça, c'est quoi alors un vrai ou un simple désir d'enfant ?
— Tous les désirs dont je t'ai parlé sont les formes courantes qu'emprunte le désir d'enfant pour venir au monde. Le désir le plus rare sans doute, le plus mature, est celui qui peut se dire et se penser sous la forme de : « J'ai un désir d'adulte de donner la vie à un enfant. » C'est certainement le désir le plus délicat à exprimer. Celui qui apparaît bien après les autres, et qui surgit dans le plein de la vie d'une femme ou d'un homme déjà bien accompli. Ce désir se nourrit de plusieurs autres désirs comme :

• Désir de conception, d'accepter l'intrusion, le partage et aussi l'accompagnement au long cours d'un enfant tel qu'il peut apparaître et devenir.

• Désir de gestation, de porter (dans le meilleur des cas) durant neuf mois, ce bébé dans mon ventre, d'établir une relation avec lui.

• Désir de le laisser sortir quand le temps sera venu.

• Désir de l'élever, c'est-à-dire de le laisser grandir.

• Désir de le laisser partir et construire sa propre vie.

– J'entends parler surtout des femmes dans ce que tu dis. Et les hommes, comment sont leurs désirs à eux ?

– C'est vrai, je n'ai évoqué ici que les désirs des femmes. À ces désirs-là vont bien sûr se rajouter les désirs et… les peurs des partenaires et même des proches. La rencontre de ces désirs multiples va être une fête s'ils s'amplifient mutuellement ou un combat s'ils se révèlent trop contradictoires. Il y a chez les hommes à la fois de la fierté à devenir père mais aussi un certain nombre d'inquiétudes.

• « Je ne me sens pas encore prêt à être père. »

• « Je voudrais bien avoir un enfant, à condition que… ce soit une fille. »

• « J'espère que ce sera un garçon, pour qu'il puisse porter notre nom de famille. »

Les hommes ont aussi leurs symptômes de grossesse même si on n'en parle pas souvent. Et puis il y a les pressions de l'entourage, de la belle-famille : « Alors, quand est-ce que vous nous le faites, cet héritier ? »

♦ ♦ ♦

Mais, au-delà des désirs conscients, il y a aussi l'imprévisible et l'insondable des désirs inconscients. Derrière tout désir conscient se masque et s'exprime un désir inconscient semblable ou différent !

• « Nous voulons un enfant tous les deux ! Oui, mais lequel ? Le tien ou le mien ? »
• « Je prenais la pilule, je ne voulais pas d'enfant, et je suis quand même tombée enceinte ! »
• « Je ne supportais pas la pilule, je ne pouvais garder un stérilet, c'est lui qui se protégeait et puis un jour, il y a eu cet accident de préservatif... »
• « Nous voulions cet enfant, nous avons fait tous les examens, tout était en ordre chez lui et chez moi, et pourtant rien ne venait. On s'entraînait tous les jours, deux fois le dimanche ! Au bout de huit ans, en désespoir de cause, nous avons adopté un petit Péruvien. Quelques mois après, j'étais enceinte ! »

– Ça, j'en ai entendu parler. On adopte un bébé, ou un enfant, et quelques mois après on tombe enceinte. C'est drôle d'ailleurs qu'on dise « tomber enceinte ». Tu sais, toi, pourquoi on dit « tomber enceinte », « tomber amoureux » ?
– Je ne sais pas exactement mais dans cette expression j'entends résonner l'idée de chute brutale. Devenir amoureux ou enceinte fait partie de ces moments de l'histoire de chacun qui introduisent un changement significatif dans le cours d'une vie. Le destin bascule et

une encoche dans la ligne du temps avec un avant et un après à partir de laquelle les choses ne sont plus tout à fait les mêmes. Mais je m'éloigne... Où en étions-nous ?

— Les désirs conscients et inconscients...

— Ah oui, il y a aussi les conflits de fidélité...

— Qu'est-ce que tu appelles les conflits de fidélité ?

— Ce sont tous les conflits intérieurs et personnels que nous pouvons vivre en tant que fils ou filles de nos parents, en tant que membres d'une famille élargie qui s'inscrit dans une succession de générations. Ce sont des conflits de loyauté qui créent des tensions en nous, entre ce que nous voudrions pour nous en ne tenant compte que de notre désir et ce que nous nous sentons obligés de faire ou de choisir en prenant en compte les désirs, les attentes ou les souhaits d'une personne significative de notre histoire familiale. Le désir d'enfant, par exemple, peut sembler de prime abord être celui d'un homme et d'une femme, il peut avoir mûri dans le secret de leur vie intime. Et puis, le jour où la nouvelle de la future naissance est annoncée dans la famille, les réactions manifestées vont révéler des rivalités, des appropriations, des prédictions et des enjeux inattendus qui vont placer le jeune couple face à des questions qu'ils n'auraient pas imaginé avoir à se poser...

— Alors il faut que je regarde bien attentivement ma future belle-famille le jour où ça m'arrivera !

— Tout cela ne se lit pas sur le visage mais se révèle, se dévoile progressivement...

— Tu as vécu tout ça, toi, papa ?

— Pas tout mais un peu... Les possibilités de conflits sont nombreuses, par exemple :

• Faire un enfant, mais lequel ? La fille qu'attend ma mère ? Le petit-fils qu'attend ton père, de toi, son fils aîné ? La fille que nous souhaite ta jeune sœur parce qu'elle n'a pas encore d'enfant, elle qui se sent battue d'avance et qui sait bien que, de toute façon, celui qu'elle aura un jour ne portera pas le nom de votre père ? Elle voudrait bien au moins se réserver l'honneur et le privilège d'être la première de la famille à mettre au monde un garçon. Est-ce que tu vas lui laisser cette chance et continuer à la protéger comme te l'a toujours demandé ta mère parce qu'elle était malade, ou est-ce que tu vas oser répondre au souci que tu sens être celui de ton père de transmettre le nom de ses ancêtres ? À qui vas-tu être surtout fidèle, aux hommes ou aux femmes de ta lignée ?

– C'est une vraie saga à la Dallas que tu me joues là...
– Ça peut ressembler à une saga, en effet. Il y a ensuite toute la présence d'un irrationnel, restimulé par ce qui va surgir dans les premiers regards, dans la rencontre mère-enfant, dans la création d'une relation à trois... qui reste à inventer. Ainsi l'arrivée, le développement et la croissance future d'un enfant vont-ils dépendre de la nature et du sens du désir de ses parents. L'enfant lui-même sera aussi porteur de désirs passifs ou très actifs. Une interaction permanente a lieu dès le début de la conception, entre le futur enfant et sa génitrice, entre lui et son géniteur aussi, quand il est présent, mais même quand il est absent. Il sera toujours présent, même si ce n'est qu'à travers le regard qu'elle porte sur lui, à travers l'importance qu'elle accorde à leur relation de couple, la

place qu'elle laisse à cet homme, ne serait-ce même qu'à travers la vision qu'elle a des hommes en général.

— Là c'est tonton Freud et tata Dolto qui reviennent en force !

— Les désirs propres à l'enfant vont, eux, se plier ou combattre ceux de la mère et de l'entourage. Ils vont s'amplifier (ou se fermer) dans la confrontation, la soumission ou l'opposition.

— Ça fait beaucoup d'enjeux tout ça, autour d'un même enfant !

— Les réflexions que je partage avec toi ne prétendent pas faire le tour de la question, ce sont surtout des pistes pour une invitation à ne pas figer définitivement les certitudes ou les croyances autour du désir de procréer, de mettre au monde et d'élever un enfant. Elles devraient inciter chacun, hommes et femmes, ex-enfants, à mieux se relier à ses origines. À favoriser et à générer plus d'amour en soi pour accueillir la vie que chacun a reçue, quel que soit le désir dont il est issu. C'est le souhait que j'ai vers toi, quand tu te sentiras prête à concevoir, de pouvoir écouter quelques-uns de tes désirs... Sans oublier que cette parcelle de vie, d'énergie et d'amour que nous recevons en dépôt au moment de la conception... c'est bien chacun d'entre nous qui en est le dépositaire et le garant, tout d'abord pour l'agrandir en soi, et peut-être la transmettre.

— Heureusement que je n'en suis pas là. Vive les études et les soirées avec les copains !

En effet, il faut se rendre compte qu'un jeune adulte candide et inexpérimenté peut se retrouver parent en quelques heures, voire en quelques instants : c'est ce qu'on appelle le traumatisme de la naissance. Celle qui deviendra la mère est encore un peu favorisée à cet égard. Il lui arrive quelque chose dans son corps, et cette aventure physique sert de médiateur à l'aventure psychique. Mais le futur père n'a pratiquement aucun point de repère : il peut se retrouver père dans le métro, en plein conseil d'administration, dans sa baignoire ou à la clinique d'accouchement, d'un instant à l'autre, sans que rien en lui ne vienne matérialiser ce nouvel état.

Jeanne Van den Brouck

De la passion amoureuse...
à ne pas confondre
avec l'amour passionné

– Et la passion amoureuse, papa, tu ne m'en as rien dit ? Moi j'aimerais bien trouver quelqu'un à aimer passionnément...

– La passion amoureuse n'est pas de l'amour, tu sais, c'est une maladie de l'amour. Aimer passionnément par contre est une qualité de l'amour, un mouvement intense vers l'autre. Dans un amour passionné il y a toute la vivance d'un amour ardent.

– Qu'est-ce que tu me racontes ? Une maladie de l'amour ? Mais tu n'y es pas, papa, toutes mes copines rêvent de vivre une passion amoureuse, elles ne pensent qu'à ça ! Et moi aussi d'ailleurs.

– Oui, vous en rêvez, mais savez-vous ce que vous aurez à vivre ? Savez-vous que la passion amoureuse débouche sur de la souffrance ?

– Oh ! papa ! Tu m'en parles comme d'un drame épouvantable ou d'une catastrophe ! Comme si c'était la pire des choses qui puisse arriver à quelqu'un !

– Avant d'être une affliction, la passion amoureuse est un embrasement, un feu qui ravage et brûle tout : le passé, les souvenirs, les valeurs. Il rabote le présent, le réduit à la seule expérience qui vaille la peine d'être vécue : la présence de l'autre. À la seule réalité qui en attise les sensations : son absence cruelle. C'est un torrent tumultueux qui ne connaît aucun obstacle, seulement la pente glissante qui le conduit à dévaler vers son propre épuisement.

– Tu lis trop de livres, papa, tu regardes trop de films graves, je crois que tu exagères ! La passion c'est le top niveau de l'amour, le number one ! Quand on en parle entre nous, avec mes copines, on trouve nos petits flirts marrants et sympas mais sans plus, on les voit un peu fades, plats, un tantinet trop verts...

– Oui, c'est vrai, la passion amoureuse semble recher-chée, elle est idéalisée comme un but à atteindre. Seule-ment voilà, on n'a pas besoin de lui courir après, elle nous tombe dessus, nous enlève, nous prend tout, nous dépouille, pour nous laisser au bout du compte hagard, épuisé, farouche, à la fois impuissant et tout-puissant. C'est un emprisonnement émotionnel. Il y a dans la passion amoureuse une démesure des sentiments, une accélération tourbillonnante des émois, semblable à un cyclone intérieur qui emporte tout. Une fois de plus, il faut repérer la position occupée dans ce cyclone. Quand on est l'objet d'une passion amoureuse, on en est parfois flatté au début, on se sent très important, mais rapide-ment très menacé, car brassé par les sentiments de l'autre, malaxé par ses demandes ou ses propositions, stimulé par leur créativité mais consterné à la longue par leur pro-fusion ou leur incohérence. Quand on est habité par une passion amoureuse, on est à l'intérieur même du cyclone et la position n'est guère plus confortable !

La passion amoureuse ne connaît ni les contraintes de temps ni celles d'espace. Parcourir 400 kilomètres pour voir l'aimée juste un instant...

– C'est chouette, ça !

– Te réveiller à 3 heures du matin pour t'entendre dire que la lune par 65 degrés nord-est va t'apporter son regard et venir te faire un clin d'œil de sa part. Lui offrir la collection complète des disques de Mozart s'il a laissé entendre que c'est son compositeur préféré, ou lui faire livrer 100 kilos de pommes si tu as cru comprendre que ce fruit était bon pour sa santé ou recommandé pour son régime !

– Ouah, super-génial ! Le pied !

– Oui, toi tu trouves ça sympa, c'est vrai que ça peut être original parfois, mais la passion amoureuse ne se contente pas d'aimer : elle adore. Elle verse surtout dans la démesure, elle donne dans la disproportion, elle raffole du paroxysme, du tout et du rien. Avec elle, tout ce qui n'est pas la passion c'est nul, du bidon. Elle ne s'économise jamais, ne s'épuise pas, même si elle fatigue. Elle renaît sans cesse de ses propres échecs dont elle se saisit aussitôt comme de défis excitants à relever. C'est un totalitarisme totalisant qui dévore celui-là même qui la porte en lui.

– Vu comme ça, en effet, c'est vachement craignos ton histoire !

– La passion amoureuse flirte avec le réel et aime tout particulièrement les obstacles, les empêchements et les dilemmes. Elle se nourrit plus de l'impossible qui résiste à l'idéal de l'amour qu'elle cherche à préserver, plutôt que des possibles et des petits miracles du réel que permet l'amour confronté au quotidien. L'amour-passion, c'est une sorte de folie, la forme banalement pathologique de l'idéalité qui affecte le domaine des sentiments et infecte les relations instaurées, construites et entretenues sur leur base.

— Alors celui qui aime d'amour-passion, d'après toi, il est condamné, il n'a plus qu'à se jeter à l'eau... Tant qu'à faire... si ça doit arriver, autant le faire tout de suite ?

— Il a toujours le temps de se jeter à l'eau plus tard, si l'objet d'amour, l'homme ou la femme qu'il aime ne répond pas à ses sentiments, le rejette ou disparaît. Mais en attendant, il se jette surtout sur l'aimé. Il ne peut d'ailleurs pas tellement agir autrement car il est sans cesse habité par l'image, l'odeur ou le souvenir de leur vécu commun. La passion dans ce sens est semblable à une drogue.

— Ah ouais, on peut se shooter à l'amour si je comprends bien ? Ce n'est pas interdit, alors ?

— En tout cas, ça fait parfois autant de dégâts que les drogues dures ! Quand l'amour-passion est chargé de combler le rêve d'amour et qu'il est censé apporter toutes les satisfactions, il comporte tous les dangers qui sont liés aux excès possibles de ces attentes. Vivre dans l'amour-passion c'est s'entretenir dans l'illusion de l'amour tout-puissant. Contrairement à l'amour vécu au quotidien qui court le risque de s'affadir au contact du réel, l'amour-passion court celui de la perte des repères avec le réel. Il favorise l'entrée dans des conduites répétitives et compulsives ou de contraintes, qui peuvent se présenter sous la forme de toxicomanie et d'aliénation. Celui qui porte une passion amoureuse en lui est dépendant non seulement de l'autre, mais surtout de ses sentiments. Il met toute sa vie au service de ses propres sentiments, quoi que l'autre fasse. Je t'ai dit que c'était une maladie de l'amour, je devrais ajouter que c'est une maladie incurable.

— Incurable ça veut dire qu'il ne peut jamais se guérir de son amour ?

— Je le crois. Dans l'amour-passion, c'est l'envahissement du sentiment qui domine, il occupe tout l'espace intérieur. Après son passage, comme après un ouragan ou une tornade, il ne reste plus rien, une coquille vide. Un être désemparé en attente... mais toujours habité par des forces prêtes à se réveiller.

— Alors on n'est pas heureux quand on est dans la passion ?

— La passion n'est pas vraiment destinée à ceux qui aspirent à être heureux. Elle s'impose, elle est comme un cancer dont les cellules prolifèrent jusqu'à tuer tout ce qui ne sert pas la passion.

— Tu veux me faire peur, papa ?

— Oh non, pas te faire peur, ni chercher à te dissuader, car de toute façon je n'ai aucun pouvoir d'action ou d'empêchement sur un tel sentiment ! Juste te rappeler que je n'invente rien. Le mot « passion » vient du latin *patior* qui signifie souffrir. Et te dire aussi plus simplement que se donner les moyens d'échapper à la soumission qu'impose la passion est à mon avis un beau projet de vie. Personnellement, je préfère l'amour à la passion.

— Entre les deux ton cœur ne balance pas, alors ?

— Même si la passion peut être séduisante et donner le sentiment que l'éternité peut être rassemblée dans un seul instant, c'est un bouleversement trop chavirant, qui ne se domestique pas car la passion est absolue et contient des forces de destruction incontrôlables.

– Tu ne te laisses pas séduire par la passion ?

– Je ne souhaiterais même pas à mon pire ennemi d'en vivre une. J'ai écouté un jour une Canadienne, Denise Bombardier, parler de l'amour-passion avec une justesse et une éloquence qui m'ont beaucoup touché. Ce fut pour moi une belle leçon de vie.

– Message reçu 3 sur 5, papa. Bon, j'ai compris, il me reste à prévenir les copines. Il va falloir que je leur explique tout ça. Je crois que je vais surtout leur résumer le truc et leur dire de bien faire gaffe, alors ! Il nous restera à nous rabattre sur des amours de consolation moins dangereuses et moins mortelles comme l'amour platonique ou l'amour pour nos idoles préférées...

– Oh, il y a beaucoup d'autres amours possibles ! Les amours de désir me paraissent tout à fait... désirables. Quand chacun est dans le désir vers l'autre et que ces deux désirs s'amplifient... c'est pas mal non plus !

– OK, je prends note. Ce n'est d'ailleurs pas forcément incompatible ! Je me disais juste que l'amour platonique ou l'amour pour une idole, ça permet de rêver peinard à l'amour, sans se préoccuper forcément de savoir si l'autre est d'accord ou pas. Ça, papa, c'est une spécialité de notre âge, mais je vois que toi tu penses à des amours plus ancrées dans le vrai réel... Dont acte !

Après la tempête, chacun de son côté soignait ses blessures et, trop heureux de n'être pas mort, se contentait de survivre à ce désastre. Encore trop convalescents pour trouver la force de nous battre, nous n'éprouvions même plus le désir de sortir d'un système dont nous savions bien, tant que nous n'en mourions pas, qu'il nous faisait vivre. Et nous continuions, ensemble, à perpétuer ce lien destructeur, mais indestructible.

Catherine Bensaid

Et si on ne confondait plus amour de soi et égoïsme !

Nous avions parlé fréquemment de l'amour et de bien d'autres sujets, dont certains sur un mode conflictuel. Tu avais été, de tous mes enfants, celle qui avait le plus mal réagi aux démarches de thérapie, de développement personnel que j'avais entreprises quand j'avais découvert que j'étais un infirme de la communication.

Tout changement personnel bouscule l'entourage proche, remet en cause le système relationnel familial. Aujourd'hui je peux le dire, se former aux relations humaines c'est se confronter à une grande solitude, aussi n'avais-je pas osé te montrer cet article, en laissant au hasard fertile le soin de te permettre de le découvrir peut-être, dans une revue qui accueillait en ce temps-là mes réflexions sur la vie.

Celui qui entreprend une réflexion sur lui-même, qui se lance dans une démarche de changement ou de développement personnel court le risque tôt ou tard de se voir comme trop égoïste ou de s'entendre traiter par ses proches d'égocentrique. Un fait curieux est à relever au passage : que vous reproche en fait celui ou celle qui vous traite d'égoïste, sinon de ne pas vous occuper ou de moins vous intéresser à LUI, ou à ELLE, justement ?

L'égoïsme est voué aux gémonies dans notre culture, son spectre hante nos consciences tel un motif d'autocondamnation honteuse. À tel point que nous n'osons pas nous aventurer à exprimer nos désirs et que nous avons pris l'habitude de faire les choses et de nous justifier en évoquant la soi-disant bonne cause acceptable, celle qui est censée tenir compte de l'autre. Les arguments typiques sont ceux qui tournent autour du : « C'est pas pour moi, c'est pour lui, pour elle, pour son bien, pour son avenir... »

L'égoïsme est tellement traqué qu'il est rare d'échapper à de telles remarques à visée de culpabilisation. Aussi est-il utilisé comme un argument de choix pour légitimer ses propres résistances au changement :

- Est-ce que je ne suis pas trop égoïste ?
- Est-ce que j'ai le droit d'être égoïste ?

Ou pour tenter de maintenir en laisse quelqu'un qui change, s'éloigne ou se différencie avec ces phrases couperets :

- Tu ne penses qu'à toi.
- Je ne te comprends plus, tu n'es plus le même.
- Tu ne vois pas la peine que tu me fais en devenant différent de ce que je croyais que tu étais !
- Si tu tenais à nous, ta famille, tu ne perdrais pas tout ce temps dans des soi-disant stages de formation...

Dans une démarche de recherche intérieure qui nous sollicite à des niveaux profonds de notre être, qui nous amène à toucher au noyau de notre identité et donc à réveiller les fondements de notre narcissisme primaire latent, il est fort utile et aidant de ne pas confondre autosatisfaction et respect de soi, ou encore amour-propre et amour de soi.

L'autosatisfaction comme l'amour-propre correspondent à la forme inflationniste et parfois arrogante que prend la part de notre ego la plus superficielle, la plus tournée vers l'extérieur. Celle qui concerne surtout le paraître, qui est préoccupée de son image et soucieuse de flatter l'idéal de perfection que nous avons de nous-mêmes : le super-homme ou la super-femme que nous voudrions pouvoir être.

C'est qu'il a gros à perdre, cet ego-là. Le temps qui passe, avec son lot de déboires, de difficultés, de déceptions et de lendemains désenchanteurs, ne joue pas en sa faveur. Alors l'ego se cramponne à l'illusion de toute-puissance qui lui tient lieu de modèle de référence. Il ne donne pas dans la demi-mesure. Pour lui c'est ou tout ou rien, les erreurs sont des échecs cuisants, les ratés des claques et des humiliations. L'amour-propre est un sentiment fier, orgueilleux, vaniteux. Quand il ne réussit pas dans ses projets, c'est au sentiment de honte et à la sévérité de ses jugements qu'il est confronté. Napoléon devait en savoir quelque chose, lui qui déclarait : « Du sublime au ridicule, il n'y a qu'un pas. »

L'amour de soi et le respect de soi sont constitués avec une part plus modeste d'un sentiment d'estime, de bien-veillance et de mansuétude que nous pouvons cultiver et veiller à entretenir à l'égard de nous-mêmes, dans une acceptation plus lucide de ce que nous sommes.

L'amour de soi dépend de notre capacité à nous accorder une valeur même si nous ne sommes pas parfaits, à croire en nous sans trop « nous-en-croire ». Il provient de la faculté que nous avons de nous apprécier au sens d'évaluer et d'aimer. L'amour de soi, c'est la faculté que nous avons de nous aimer suffisamment, c'est-à-dire ni trop ni trop peu, mais juste assez. Il provient des couches les plus profondes et les plus intérieures de nous-mêmes. C'est la part de notre personnalité qui est au service de notre besoin intime et essentiel d'être à nos propres yeux, et à ceux d'autrui, tels que nous sommes. Une part de notre façon d'être au monde qui est susceptible d'agrandissement, de dépassement. Le centre de nous le plus digne de respect, le lieu le plus sacré sans doute.

Il y a une façon tout à fait altruiste d'être égoïste, tout comme il y a une façon purement égoïste d'être apparemment altruiste.

Avons-nous véritablement conscience du bon qu'il peut y avoir pour les autres à côtoyer quelqu'un qui s'aime véritablement et de façon juste ? *A contrario*, que renvoyons-nous à notre entourage quand nous ne nous aimons pas et que nous prétendons toujours agir pour l'autre ou par rapport à lui ? C'est épuisant et terrifiant de vivre avec quelqu'un qui vous renvoie que vous êtes à la fois tout pour lui et qu'il n'est rien sans vous.

Nous pouvons apprendre à nous gratifier sans débordements centripètes, sans tomber dans l'excès de l'égotisme. Mais ne pas oublier non plus de se critiquer un minimum, sans dénigrement ni mépris pour notre propre personne. Car si dans notre culture nous avons pour habitude de dénoncer et de craindre les excès d'égoïsme, nous sommes bien moins vigilants à l'égard des stigmates profonds et durables que peut laisser en nous le manque d'amour de soi.

C'est quand nous sommes capables de nous apprécier, quand nous pouvons avoir des égards et de la considération pour nous, quand nous pouvons reconnaître une valeur à ce que nous produisons et que nous accordons une importance à ce qui provient ou sort de nous, que nous commençons à construire et à nourrir confiance et estime de nous-mêmes.

L'estime de soi est en quelque sorte l'équivalent de la sève qui nourrira l'amour de soi dont nous avons besoin pour pouvoir aimer autrui.

L'amour de soi est la première forme de respect, d'acceptation et de positivité que nous pouvons entretenir à l'égard de nous-mêmes, le filtre à travers lequel nous allons regarder le monde et les autres.

C'est notre regard qui donne une coloration à ce que nous percevons, c'est notre écoute qui attribue un sens à l'intention que nous donnons à ceux qui nous entourent.

L'amour de soi est aussi ce lieu de retraite dans lequel nous vivons la rencontre solitaire avec nous-mêmes. C'est le camp de base dans lequel nous nous recueillons dans le silence pour développer notre capacité à nous centrer, à nous positionner, à puiser les ressources qui enrichissent notre qualité de présence, d'écoute, d'ouverture aux autres. Il constitue la pierre angulaire de l'édifice sans cesse en mutation d'une personnalité. C'est de sa nature que dépendront l'énergie et l'intensité avec lesquelles nous allons pouvoir nous relier aux sources vives de notre existence.

L'amour de soi est lié au respect de soi. Il est en quelque sorte l'expansion du premier cadeau que nous avons reçu : la perle de vie déposée au moment de notre conception, souffle de vie qui se prolongera dans un cri poussé après neuf mois de gestation. Germe qui aura besoin pour s'agrandir et s'amplifier d'être au contact d'un environnement non seulement bienveillant et gratifiant mais aussi rassurant, contenant et stimulant.

Celui qui est perçu ou qui se sent égocentrique ne fait que placer son ego au centre. Au centre de soi, passe encore... Mais quand l'ego occupe le centre de toute relation, les choses se compliquent sérieusement, car le risque est alors que toute évolution ou toute interprétation de la réalité ne se fasse qu'à l'aune de cette focalisation au lieu de passer par l'écoute de tous nos sens et par la confrontation avec les messages ou les réponses envoyés par autrui, ce qui constitue la base de toute adaptation.

Celui qui se sent égoïste, celui qui se laisse culpabiliser par de telles accusations, tout comme celui qui se défend de l'être, reste dominé par l'image idéale de lui-même et par l'illusion de toute-puissance infantile qui est très habile et prompte à nous faire nous comporter d'une manière faussement modeste. Curieux paradoxe pour un esprit rationnel.

« Je n'avais aucune estime de moi et j'étais hyperorgueilleuse... Je ne comprends pas ! » s'étonne cette femme, qui se reconstruit et qui acquiert une véritable confiance en elle, fondée sur d'autres bases que le donner et le faire pour l'autre, qui l'ont conduite à s'endetter par sa frénésie d'achats compulsifs.

L'amour de soi s'entretient et se nourrit de la qualité des relations les plus significatives que nous avons connues dans notre petite enfance.

Si nous avons vécu des relations dans lesquelles pleuvaient les sanctions, sévissaient les menaces, tombaient les disqualifications et les jugements de valeur, si nous avons connu des relations où régnaient les rapports dominant/dominé, il est vraisemblable que notre amour pour nous-mêmes sera gâté, abîmé, atrophié ou amputé car atteint ou entamé dans son potentiel de bienveillance, d'ouverture et de confiance.

Si au contraire nos proches cultivaient l'invitation à se dire, la non-collusion entre sentiments et relation, la différenciation entre besoin et désir, l'écoute centrée sur la personne et non sur le problème, alors il est certain que nous avons pu inscrire en nous les bases fiables et solides d'un amour pour nous-mêmes.

L'égocentrisme et même l'égoïsme, ou la tendance à ramener tout à soi, seront donc la résultante de relations peu gratifiantes, vécues dans notre enfance, dans lesquelles dominaient souvent la violence des désirs et la peur des proches déposées sur nous et qui généraient dans le mouvement d'une envie compensatrice la nécessité de sans cesse se donner à soi-même et de fournir aux autres la preuve de sa valeur, cela parallèlement à une difficulté, voire une incapacité, à se faire respecter et à se respecter soi-même. Celui qui a véritablement confiance en lui n'a pas besoin d'en rajouter, de prouver quoi que ce soit.

Celui qui n'a pas d'estime de lui montre parfois une attitude de pseudo-assurance ou de suffisance mais doit sans cesse conquérir et compenser le manque d'amour de lui par une forme d'estime construite de toutes pièces, en termes de prouver, de montrer, de mériter.

Si nous avons été élevés dans un système relationnel qui ne favorisait pas l'autonomie des sentiments, notre besoin d'être aimé primera dans la plupart de nos relations avec les autres. Et ce besoin d'être aimé, qui n'est qu'une demande déguisée de recevoir de l'amour de l'autre, entretiendra dépendance, attachement et revendications à l'égard de celui ou de celle qui prétendra nous aimer. En effet, un besoin non autonome réclame réponse... de l'autre. Celui qui ne s'aime pas vérifiera sans arrêt la solidité de l'amour de l'autre, il recherchera surtout des preuves de son amour avec des réponses à ses demandes ! Des preuves qu'il peut avoir en abondance, mais qu'il ne sera jamais en état de pouvoir recevoir, accueillir et amplifier car elles se trouveront délogées aussitôt par de nouvelles demandes !

La dépendance ainsi créée se transforme parfois en exigences, elle développe et entretient des comportements ambivalents et contradictoires qui vont agresser tout le présent et saboter le devenir d'une relation amoureuse ou de couple.

• Si j'ai besoin de t'aimer, tu dois accepter mon amour et surtout m'aimer en retour, puisque je t'aime. Je vais vérifier sans arrêt la solidité et la permanence de cet amour par des demandes de plus en plus exigeantes et outrancières !

Cette dépendance entretient des choix amoureux qui vont limiter les possibilités d'évolution de la relation, fondée au départ sur une complémentarité pathogène qui ne cherche qu'à se maintenir sur la même dynamique.

Dans certains couples, dépendance affective et assistanat matériel exercé sous des formes plus ou moins voyantes ou sournoises seront un des liens puissants qui contribueront à figer les positions de chacun dans des rôles attribués et pris dès le départ. Tout ceci ne prépare en rien à l'autonomie relationnelle que suppose une relation vivante et saine, nourrie par la réciprocité et par un équilibre gratifiant entre les attentes et les réponses de l'un et de l'autre.

Les échanges ou les partages qui ne peuvent se vivre dans la confrontation révèlent le manque de liberté, de richesse intérieure et de maturité relationnelle des protagonistes d'une relation. Les formes les plus subtiles ou les plus manifestes de l'égocentrisme, de l'égoïsme et même du terrorisme relationnel trouvent leur origine dans le manque d'amour de soi.

Je crois que l'amour de soi, pour se développer et être entretenu, a besoin non seulement de relations confirmantes et gratifiantes mais aussi de s'appuyer sur la capacité à se responsabiliser face à ses besoins. C'est la liberté de chacun que de se donner les moyens de développer en lui cette part d'amour, en apprenant à devenir un bon compagnon pour lui-même, quels que soient les avatars de son passé ou les difficultés de son présent.

L'amour c'est la vie sans limites ni fin. Connaître c'est apprendre à aimer, toute sève nous murmure partout qu'aimer c'est connaître.

Olympia Alberti

Où se trouve la source de l'amour ?

Tu avais déjà dix ans quand j'ai retrouvé dans mes notes ce texte écrit quelques mois après ta naissance. Je l'ai gardé et mûri encore durant quelques années.

Je te l'ai offert pour tes vingt ans. Je ne sais encore aujourd'hui si c'était trop tôt ou trop tard. Je te l'ai proposé dans l'enthousiasme de l'avoir relu et, d'une certaine façon, en me sentant plus proche de toi, plus en accord avec moi, dans cette période de ma vie.

Tu viens de naître, ma chérie, et peut-être qu'un jour tu poseras les questions :

• D'où vient l'amour ? Quelle est son origine secrète et bienfaisante ? Où se trouve sa source mystérieuse et redoutable ? Quelle est sa signification profonde, son destin porteur de désirs, de plaisirs ou de désarrois et parfois de souffrances et de violences ?

J'ai en effet entendu, il y a quelques années, un enfant me demander : « Où se trouve la source de l'amour ? »

151

Cette phrase m'a habité longtemps et je suis en quelque sorte parti, durant des décennies, à la recherche des sources de l'amour ! J'aurais voulu, tel un explorateur intrépide, escalader montagnes et glaciers infranchissables, affronter déserts et territoires inconnus pour trouver cette source. Je l'ai cherchée aussi en moi et dans le cœur et le corps des femmes qui ont croisé mon chemin.

J'ai tenté de la reconnaître dans les témoignages et le vécu de ceux que j'ai accompagnés et écoutés des années durant en tant que formateur. J'ai essayé de la surprendre entre deux amours, en croyant pouvoir en maîtriser les mystères. Bien sûr, comme beaucoup, j'ai pensé que l'origine ou les sources de l'amour, comme celles de la vie, résidaient dans l'amour maternel, dans l'amour parental proposé quasi inconditionnellement au début de la vie de chacun.

J'ai cru que l'absence de cet amour ou sa carence pouvait plonger plus tard un enfant et un futur adulte dans le manque, l'impuissance et l'incapacité d'aimer.

J'ai fait mienne, dans un premier temps, cette croyance populaire relayée par de vagues théories psychologisantes selon laquelle « il est difficile d'aimer si on n'a pas été aimé ». Et puis je me suis révolté ! Alors les « sans-mère », les « mal-aimés », les « orphelins du cœur », les « affamés d'une maman », tous ceux qui n'ont pas reçu d'amour, qui n'ont pu s'abreuver à cette source première, tous ceux-là seraient donc condamnés à ne jamais pouvoir à leur tour être les dépositaires d'un amour à donner ?

Sans l'accueil d'un terrain nourri, fécondé, sans apport premier, comment commence la quête éperdue de celui, de celle qui voudrait déposer le cadeau ruisselant et lumineux d'un don d'amour ? Sans la source, pas de ruisseau impertinent, ni de rivière joyeuse, pas de fleuve, pas de vasque opulente ou de mer verdoyante, ni l'infini d'un océan où se perdre, ni d'île pour se déposer et s'agrandir ?

Je ne savais pas que ma propre quête me conduirait à témoigner ainsi. J'étais resté à l'abri dans l'imaginaire de cette question. J'ai mis longtemps à découvrir que le temps si court et si long à la fois d'une vie ne mérite pas d'être détourné ou perdu en ressentiments liés aux manques, ni enfermé dans la haine, attaché aux frustrations, à la sottise, aux mesquineries des comptabilités affectives ou de la violence engrangée.

La vie devrait être vécue dans et par l'amour, seulement pour l'amour. Je voulais m'accrocher à cette vision et à cette croyance avec force et conviction. Encore fallait-il en trouver ou en recréer la source en soi, la dégager des obstacles qui obstruent son passage et gênent son jaillissement, son écoulement et l'épanchement de son cours ! J'étais jeune et je croyais que partir à la recherche de sa source d'amour pouvait être le possible d'un chemin initiatique conduisant vers la connaissance du meilleur de soi.

J'ai mis longtemps à renoncer à la croyance que la source du don de l'amour devait avoir été alimentée par un amour reçu dans l'enfance, qu'il s'agisse de celui d'une mère ou d'un substitut maternel. Pour accepter d'entendre que la source renouvelée du don d'amour se trouverait plutôt dans l'amour de soi. Dans ce germe déposé en chacun par le miracle d'une rencontre vraie, par la qualité des échanges et des partages vécus dans l'enfance et à l'âge adulte.

J'appelle **rencontre vraie** un échange authentique, un partage dans la profondeur qui laisse l'inscription d'une expérience où nous pouvons sentir que nous avons une valeur, en étant reconnus tels que nous nous sentons.

La source profonde de l'amour réside dans ce cas dans la confirmation positive de notre présence au monde.

Et ainsi, je me confortais dans l'idée que cela, au moins, je pourrais l'offrir à mes enfants, à ma descendance. Car cette qualité de la relation, c'est bien à eux que je la devais en priorité.

Pour moi donc, la véritable source de l'amour réside dans l'amour de soi.

Un amour de soi né d'une relation qui nous a confortés dans la beauté d'être au monde et dans le bonheur de nous sentir autorisés à être et à devenir ce que nous sommes véritablement et profondément dans nos potentialités.

C'est par la qualité d'une relation significative ou même fortuite, que ce soit avec un parent ou avec un tiers, que nous naissons à l'amour. Ces souvenirs sont parfois enfouis sous les décombres du ressentiment, de l'apparente indifférence, de la colère, de la honte. Bien protégés derrière les croyances et les théories que nous avons l'art de savoir inventer pour nous protéger dans un premier temps de nos blessures d'enfance, et que nous oublions de revisiter et de réactualiser au fil du temps. C'est toujours un moment émouvant et fort que de pouvoir se relier un jour à ces souvenirs, de retrouver ces bribes d'expériences qui peuvent remettre en cause nos théories explicatives toutes faites, construites de longue date. Comme celle de cette femme qui disait :

« C'est un peu comme si je m'accrochais à mon indépendance, à l'idée que je n'ai pas besoin d'amour. Parce que si j'admets que j'ai besoin d'amour, je reconnais en même temps que j'ai un gros trou à combler, et pour moi il ne faut rien attendre des autres. J'ai l'impression que si je perds mon indépendance je perds ma liberté. Enfin dans ma tête c'est comme ça, alors que je ne suis pas particulièrement libre, en fait. Je ne vois que du négatif dans la dépendance. Si je suis aimée c'est que je suis dépendante, donc fusionnelle. Je ne vais pas arriver à m'en sortir.

Un contre-exemple à cette théorie selon laquelle besoin d'amour = dépendance ?... En fait je ne vois que des exemples qui vont dans ce sens, qui ne font que confirmer cette équation, avec ma mère qui me prenait en main, qui décidait pour moi... Ah si, peut-être ! Je pense à mes grands-parents. Dans notre famille c'est comme ça, il fallait aller chez eux pour leur faire plaisir, pour qu'ils ne soient pas seuls. Il me revient le souvenir d'une voisine de ma grand-mère, elle venait papoter avec elle. Un jour elle avait fait un gâteau. J'avais déjà été servie et j'ai refusé d'en prendre une deuxième part, j'étais polie comme maman me l'avait appris et pour moi, enfant obéissante, ça ne se faisait pas de se resservir. Ma grand-mère m'a donné son autorisation : "Prends-en une deuxième fois, Madeleine l'a fait pour toi, pour te faire plaisir..." J'ai pris cette deuxième part de gâteau, et ce qui m'a le plus touchée et marquée, dans le fond, ce n'est pas tant l'autorisation de ma grand-mère que le bon goût du faire plaisir gratuit que j'ai senti à ce moment-là en provenance de sa voisine. J'ai gardé des liens avec cette dame et son mari, je leur écris et je continue à les voir de temps en temps. Quand je revois cette dame, elle me donne parfois des pots de confiture, et c'est amusant : je peux accepter avec plaisir ceux qu'elle me propose, j'y retrouve sûrement le goût du don gratuit. C'est plus compliqué quand c'est ma mère qui m'en donne : j'ai toujours l'impression que je suis achetée... »

Au cours du travail d'exploration de son histoire intime, il est parfois de ces trouvailles salutaires, de ces trésors d'expériences relationnelles, enfouis sous les gravats de la mémoire superficielle, recouverts de la poussière que nous avons laissée s'accumuler.

Il appartient à chacun de retrouver dans son histoire le goût d'une telle qualité de relation qu'il nous a été donné de connaître à travers un geste, un propos, une reconnaissance venus de quelqu'un qui n'avait peut-être aucun lien affectif avec nous. De retrouver les traces de cette confirmation, de recueillir les signes de la vie qui sont venus à nous sous cette apparence, là où nous ne l'attendions pas toujours. L'amour de soi ne nous tombe pas dessus, il n'est pas inné, il n'est pas davantage définitivement acquis. C'est une conquête jalonnée de découvertes, d'expériences, de rencontres avec l'intime de soi, avec les ombres et les lumières qui nous habitent ou que nous traversons.

C'est par l'amour de soi que nous pourrons engranger un potentiel d'amour à donner, sans le réduire aux exigences du besoin d'être aimé, sans le piéger dans le besoin d'aimer à tout prix.

En acceptant de découvrir en chacun de nous les sources de l'amour, nous allons redécouvrir le sens du fleuve amour qui nous habite.

Nous allons ainsi entendre la part de création et de respect qui va nourrir tout amour quand il s'incarne dans l'autre.

Au-delà de l'expression d'un sentiment, c'est bien la qualité d'une relation qui sera le levain et le ferment d'un amour durable.

Je te souhaite, ma grande, comme je souhaite à chacun, de se confronter à cette aventure inouïe, de vivre les naissances et les vendanges de l'amour offert, reçu et renouvelé dans la plénitude de l'abondance et de la joyeuseté.

Je ne savais rien encore, à l'époque, du chemin à parcourir.

- -

En nous est la source. Mais pourquoi avons-nous tant de mal à la rejoindre ?

Charles Juliet

- -

Il y a beaucoup de sentiments
dans un amour !

À une époque pas si lointaine, te souviens-tu, nous avions des échanges interminables sur : « Mais alors, qu'est-ce que c'est aimer si... » La discussion démarrait toujours sur ce qui nous apparaissait à l'un ou à l'autre comme une aberration, une contradiction flagrante quand venait à notre connaissance une situation-problème.

– Mais tu te rends compte, elle lui parle de ses autres relations, elle en a eu des tas depuis qu'ils sont mariés, et lui, il accepte tout ça !

– Il l'aime..., hasardais-je.

– Je ne sais pas si on peut appeler ça de l'amour ! C'est une bonne poire, oui ! Elle lui fait le coup à chaque fois, en lui disant que, malgré les autres, il reste le plus important, qu'elle a besoin de lui.

– Elle me semble effectivement attachée à son mari, même si elle se permet des escapades.

– Attachée, mais c'est lui qui est asservi. Je ne sais pas comment il supporte cela !

159

Nos échanges s'épuisaient d'eux-mêmes, car de l'extérieur nous ne percevions que l'écorce, l'écume d'un couple, les apparences d'une relation qui devait être complexe, chargée d'enjeux qui nous échappaient. Nous arrivions à la conclusion que l'amour était la rencontre aléatoire de plusieurs sentiments.

L'amour est la plupart du temps perçu comme un sentiment global, monolithique, entier et surtout tout-puissant.

- Mon amour pour lui est toute ma vie.
- Je ne pense qu'à elle.
- Je ne vis que pour cela...

Viennent s'ajouter d'autres croyances sur sa longévité ou son éternité, sa résistance à toute épreuve, sur sa capacité à résoudre toutes les difficultés, à réparer toutes les souffrances, à apporter le bonheur ou à apaiser toutes les angoisses.

« Je me planquais derrière mes Je t'aime », reconnaît en riant de lui-même cet homme dont la capacité d'aimer a changé, s'est modifiée au cours de sa relation avec celle qui est devenue depuis peu sa femme.

- C'est vrai qu'au début de notre relation, quand mon amie n'était pas bien, je pensais que mon amour pour elle l'aiderait à aller mieux. Je la couvrais de Je t'aime, je l'envahissais de mes déclarations, c'est tout ce que je savais faire. J'ai commencé lentement à m'épuiser au fur et à mesure que s'imposait à moi le constat douloureux que la force ou l'intensité de mes sentiments ne parviendraient pas à la guérir de ses propres blessures du passé. Maintenant je peux lui dire que je ne suis pas toujours disponible pour l'écouter. Au début, elle l'a mal pris, mais j'ai tenu bon...

L'amour est souvent vu comme une entité extérieure, au service de laquelle la personne aimante (aimantée) devrait se mettre. Parfois c'est l'inverse. Nous demandons à l'amour d'être à notre service, pour transformer l'autre en aimant.

• Mon amour est tellement fort et intense qu'il finira bien par m'aimer à son tour...
• Un jour, elle finira bien par comprendre enfin que personne ne l'a jamais aimée autant que moi !

Celle ou celui qui aime se veut soit le serviteur, soit le maître de son amour.

La présence de cet amour est considérée comme une mise à disposition supposée d'une part générer *ipso facto* des attitudes et des comportements tels que l'attention, la disponibilité, des réactions spécifiques comme la tolérance et le désir, la générosité, la gratuité, et d'autre part interdire implicitement ou abolir d'autres comportements, d'autres attitudes, d'autres réactions telles que la violence, le rejet, le mensonge, le non-désir.

L'aimant s'incarne ainsi dans une double dépendance :

♥ à l'égard de l'objet de son amour (l'aimée),
♥ et de son sentiment (le fait d'aimer).

• Si je suis vraiment « aimant » c'est à moi de la servir au lieu de me laisser servir par elle.

• Si je l'aime autant, c'est à moi de faire l'effort de la comprendre.

Tout un ensemble de conduites, de comportements et d'attitudes va découler de cette vision et créer ainsi une idéalisation de « soi-aimant ».

• Je me dois d'alimenter en moi l'image de celui qui aime avec une telle cristallisation de l'amour.

Image à laquelle correspondront en miroir des attentes, une sorte de contrepartie espérée en réciprocité, chez l'aimé.

• Voici comment devrait se comporter l'autre s'il prétend m'aimer.

• Si elle m'aime, elle doit comprendre que...

• Puisqu'il dit qu'il m'aime, il devrait accepter de se marier...

Ainsi la personne qui porte en elle un « sentiment d'amour » et celle qui est l'objet de cet amour vont-elles être l'enjeu d'une foultitude de sentiments, de sensations, de perceptions complémentaires, antagonistes ou contradictoires.

Les « sentiments » de l'amour sont multiples. Ils sont semblables à des ingrédients qui, pris isolément, ont une valeur propre, certaine, mais qui mélangés aléatoirement peuvent se révéler trop amers, trop sucrés, pas assez salés, imbuvables, irrespirables, ou trop indigestes.

Quand ces sentiments se rencontrent, leurs accords ou leurs désaccords, leurs complémentarités ou leurs incompatibilités développent une alchimie unique, subtile ou brutale et de toute façon bouleversante.

Cette alchimie peut se révéler amplificatrice et extraordinairement créatrice ou au contraire réductrice et parfois aliénante ou destructrice à terme.

Le fleuve de l'amour a parfois des affluents imprévisibles. L'eau de sa source, aussi généreuse soit-elle, se mélangera nécessairement à ses affluents.

Aborder les sentiments d'amour sous cet angle, à savoir qu'ils sont composés de l'interaction entre des sentiments donnés, offerts et des sentiments reçus, amplifiés ou détournés, est une approche essentiellement relationnelle et peut-être trop matérialiste. Une autre approche plus spiritualiste nous fait entendre que les sentiments d'amour ont une composante vibratoire, énergétique et qu'ils sont de l'ordre de l'impalpable, du subtil et de l'imprévisible. De ce point de vue, l'amour appartient fondamentalement à l'ordre du mystérieux, il peut être le désordre actif de l'irrationnel ou la représentation de son harmonie.

Toute réflexion, toute tentative pour approcher, au-delà de leur manifestation, les « sentiments de l'amour » supposeront aussi des tentatives pour comprendre, expliquer et vouloir maîtriser ou prévenir l'impact de l'amour en nous et sur l'autre.

Le vécu amoureux devrait nous ramener au-delà de l'émerveillement, de la magie des découvertes et de la créativité issue de la rencontre, à l'humilité, pour mieux accueillir les étonnements de l'imprévisible. Il est le catalyseur pour une intériorisation et peut-être une invitation pour renoncer à l'appropriation ou à la captation de la présence de l'aimé.

De même que la chaleur du soleil nous parvient à travers l'énergie de son rayonnement, de même que le parfum d'une fleur est reçu par notre attention et notre proximité, il nous faut accepter à la fois cette distance qu'il y a entre nous et le soleil, et la sanction inévitable de l'éphémère et de la perte, quand nous coupons la tige d'une fleur pour nous l'approprier en la séparant de son milieu, en court-circuitant son cycle de vie.

Pouvons-nous découvrir et accepter que nos amours sont essentiellement fragiles et mortelles à plus ou moins longue échéance ? Nous pouvons croire que nos amours sont périssables seulement quand nous collaborons à leur fin, même si nous entretenons leur faim en nous ! Nous pouvons surtout nous associer à leur expansion, à leur vitalité si nous acceptons qu'elles ne nous appartiennent pas. Nous ne sommes que les porteurs, les réceptacles et les acteurs maladroits et parfois impuissants de sentiments qui semblent avoir une vie propre, indépendante de notre vouloir ou de notre bonne volonté.

Nous pouvons ainsi par tâtonnements, avec vigilance et enthousiasme, apprendre à aimer dans la multiplicité et la complexité de nos sentiments. Aimer sera la rencontre possible de deux galaxies, de deux constellations où des sentiments majeurs, quand ils ne sont pas dévoyés par des sentiments parasitaires, peuvent s'amplifier, se féconder et devenir des soleils.

L'amour, c'est l'occasion unique de mûrir, de prendre forme, de devenir soi-même un monde, pour l'amour de l'être aimé. C'est une haute exigence, une ambition sans limite, qui fait de celui qui aime un élu qu'appelle le large.

Rainer Maria Rilke

Il y a des premières amours à tout âge

Tu étais déjà une femme accomplie, au cœur même d'une expérience amoureuse récente, quand nous avons échangé sur les premières amours.

– Un amour premier peut surgir très tôt ou très tard dans notre vie. Il n'y a pas d'âge pour aimer et être débordé par ce qui, avant d'être un sentiment, sera tout d'abord un éblouissement, une attirance, un éveil ou un envol pour devenir parfois une force, une assise de vie et se transformer quelques autres fois en un engagement.

Tout cela tu l'as déjà éprouvé et, sous la pudeur de quelques mots, de quelques phrases échappées au silence, j'ai pu capter et entendre combien toute l'idéalisation de l'amour que j'avais rêvée pour toi s'était heurtée à une réalité plus éprouvante que je ne croyais.

Oui, les premières amours sont des éblouissements qui surgissent sans prévenir dans notre vie. Elles nous saisissent au sens fort d'un saisissement et peut-être d'un effroi, d'une surprise car elles nous emportent, nous transportent à la fois hors de nous, tout en nous entraînant au plus profond, au plus essentiel de notre être.

Les premières amours sont à la fois levain et vague de fond. Elles nous étonnent car elles peuvent nous aspirer vers l'autre dans un mouvement d'une force inouïe. Elles nous inspirent aussi car elles font remonter à la surface des découvertes, des ressources oubliées, des possibles inattendus ou inespérés.

Les premières amours sont révolutionnaires dans le sens où elles nous font découvrir des aspects de nous-mêmes totalement incongrus ou incompréhensibles jusqu'alors et qui vont prendre sens.

Bien-être, inquiétudes, conflits divers nous traversent dans cette séquence de vie où surgissent les premières amours.

• Je me sentais soudain très bon, disait cet homme, comme éclairé de l'intérieur.

• Tout mon corps se tendait vers lui, sa main sur mon épaule et je sentais mon épaule se gonfler, mon ventre s'élargir...

• Mes yeux partaient à sa rencontre bien avant que son regard ne croise le mien...

• Je croyais avoir aimé et être aimé et ce que je découvrais n'avait rien de comparable, c'était plus fort, plus large, plus profond aussi...

• J'étais comme illuminé, je veux dire rayonnant, tout le monde autour de moi s'en est rendu compte...

• J'étais oppressé, mon cœur, mon corps me semblaient soudain trop étroits pour contenir la fougue, l'élan qui m'envahissaient...

• Moi, j'avais l'impression que mon corps allait éclater...

Les premières amours sont des sources de vie d'une puissance inouïe, car elles nous créent comme être nouveau.

Les premières amours suscitent des audaces incroyables, elles peuvent développer une créativité et une capacité d'initiative qui étonnent celui ou celle qui les éprouve et impressionnent ceux qui en sont l'objet.

Les dynamiques des premières amours sont nombreuses et chacune reste unique.

La plus fréquente – et cette dimension caractérise à mon avis l'émoi des premières amours – est la réciprocité. Le feu est chez chacun, déclenché par l'un et suscité, entretenu par l'accueil de l'autre et réciproquement.

Il y a chez l'aimant et l'aimé le sentiment d'une prédestination, d'une sorte de conjonction particulière qui rend la rencontre inévitable, magique, nécessaire :

• Cela nous donnait le sentiment que nous étions faits l'un pour l'autre.
• Je savais que c'était elle, avec une certitude absolue...
• L'étincelle de l'un n'attendait que l'étincelle de l'autre pour enflammer le brasier.
• Nous avons reconnu que nous étions faits l'un pour l'autre parce que nous n'avions justement rien en commun.

Une autre dynamique sera celle de l'amour à sens unique dévoilé ou non dévoilé. Amour porté dans le silence et se nourrissant de l'espoir, amour ressuscité à la seule évocation de l'être aimé.

Tout l'espace se colore, s'emplit, se meuble de l'image,

du nom, du sourire ou d'un geste de l'aimé. Le temps n'a plus la même mesure, le monde s'alanguit ou se prolonge dans une seule direction.

• J'écrivais son nom partout, sur des petits bouts de papier, je remplissais des pages entières uniquement avec ses initiales. Je mêlais son initiale à la mienne, je faisais l'amour avec une seule de ses paroles, avec un seul de ses regards. Me parlait-il d'un chanteur, d'un musicien et je me prétendais passionnée de ce même chanteur, de ce même musicien. Je lisais ce qu'il lisait, j'adorais ce qu'il aimait, je me passionnais pour ses passions...

– On dirait, papa, que tu m'écoutais derrière la porte. C'est tout à fait moi, ça !
– Dans la naissance d'un premier amour il y a une part de mystère qui échappe à toute tentative d'explication ou de rationalisation. Et parfois, le sentiment d'une évidence plus ancienne que notre existence.

• Ce fut comme si je le connaissais depuis mille ans !
• Je murmurais un mot avant même qu'il ne le dise !
• Je pressentais une intention avant même qu'elle ne l'exprime.
• Je me sentais si généreuse, si donnante...

Le premier amour est dans le gratuit, l'inconditionnel. Offrir et recevoir se fondent dans un même élan. Comme un orgasme du cœur plutôt que du corps, avec des émois d'une densité telle, que le corps en paraît trop petit, trop étroit.

D'autres fois, au contraire, le corps se révèle infini, grâce au corps de l'autre qui sera aussi à découvrir, à conquérir peut-être.

Les premières amours nous envahissent avec une ardeur impatiente, elles se donnent à nous avec une générosité inégalée, elles occupent un espace d'imprévu tellement, tellement immense que cette expérience nous confirme dans notre sentiment d'inachèvement, d'incomplétude. Les premières amours, n'étant confrontées à aucune réalité ou expérience antérieure, sont fortement idéalisées. Elles n'ont aucun modèle, donc elles sont porteuses de tous les possibles et de tous les espoirs.

— J'avais le sentiment que rien ne pourrait me résister, que j'étais indestructible et invulnérable !

— Je reconfirme que les premières amours surgissent à tout âge. Et tel qui croyait aimer se découvre amoureux d'une autre avec une puissance et une ardeur jamais entrevues. Et telle qui se croyait aimante se trouve soudain aimantée vers un autre, emportée dans un maelström d'émotions.

— Oui, oui...

Je te sentais m'écouter, à la fois grave et souriante, apaisée, me confirmant une connaissance commune.

— On n'a pas les mêmes expériences, papa !

— Tel homme va découvrir qu'il s'est laissé aimer durant des années, parce qu'il aimait l'amour offert par l'autre et puis, soudain, il découvre une personne à aimer, un être qui est là, unique, polarisant ou focalisant d'un seul coup toutes ses énergies et ses pensées.

Telle femme dira : « Je croyais aimer mais lorsque j'ai ressenti cette tempête, ce raz-de-marée, j'ai su qu'il s'agissait de bien autre chose que des sentiments un peu fades que j'éprouvais jusqu'alors. »

Dans les premières amours, le corps devient infiniment vaste et plein grâce au corps imaginaire de l'autre. Tout résonne plus fort, plus dense, plus merveilleux.

Les premières amours ne débouchent pas nécessairement sur un accomplissement sexuel, mais elles peuvent effacer, laver et panser les blessures et les déceptions du passé. Les premières amours s'arriment dans le présent, elles n'ont pas encore rencontré la peur du désamour, elles s'inscrivent dans l'intense de l'instant et dans le projet d'un devenir immédiat sans histoire.

– Peut-être que j'ai encore mes premières amours devant moi, alors ?

– Dans les premières amours tardives il y a parfois une volupté de la frustration, une érotisation de l'absence. Car l'autre n'est pas toujours présent. La chose se passe alentour, en deçà ou au-delà du domaine sexuel. Un érotisme latent qui se cherche.

Chez certains adolescents, les premières amours peuvent être associées à une envie de mourir pour garder tout, pour ne rien donner dans un avenir incertain. Le désir de mourir ensemble peut être présent dans les premières amours. Il peut correspondre à une tentative régressive et défensive de résoudre la différenciation perçue comme trop menaçante.

– Là, papa, c'est encore le psychologue qui ne peut pas s'empêcher d'étaler ses connaissances !

— Eh oui, cela m'éloigne parfois de l'essentiel, mais peut aussi m'aider !

Les femmes éprouvent plutôt le besoin de conserver, de maintenir le vivant de l'amour. Elles ressentent le besoin de rassurer, d'apaiser l'amour plus inquiet de l'autre, cela dans les premières amours.

Les premières amours irradient une lumière qui semble pouvoir illuminer les étoiles et même le soleil, c'est en ce sens qu'elles illuminent une existence. Elles peuvent aussi s'envelopper d'incertitudes, de nuit, de brouillard et de froidure et inscrire des blessures profondes.

Les premières amours planent très haut mais parfois, tels des cerfs-volants trop fragiles, elles se retrouvent clouées au sol de la réalité. Car à la fois elles se veulent porteuses de liberté avec un besoin d'espace et de temps absolus, et à la fois elles engagent la totalité de l'être de façon tout aussi absolue.

Par leur intensité et la ferveur qu'elles déclenchent, elles peuvent faire peur ou inquiéter la frilosité sentimentale d'un ou d'une qui ne se sent pas prêt à vivre ces débordements et cette révolution des émois.

Les premières amours sont uniques et ne se répéteront pas avec un ou une autre. Les autres amours seront autres et différentes.

— Comme disent les chansons « aimer c'est pour toujours, la première fois ! ».

— Les premières amours inquiètent l'entourage car elles remettent en cause la stabilité, la continuité et la cohésion des alliances en cours. Et quand elles se terminent, quand elles s'épuisent, s'évanouissent ou se détruisent, la trace en chacun demeurera durable et les cicatrices ne se refermeront jamais ou que très lentement. À l'automne d'une vie, elles peuvent resurgir et nous donner à rêver.

L'imprévisible, l'irruption d'un premier amour dans tous les âges de la vie est à la fois un risque et un cadeau de l'existence.

Avec un premier amour, un homme, une femme entrent dans la grande saga humaine, dans la grande humanitude d'aimer, en découvrant que l'amour peut aussi faire mal.

Car la continuité de l'amour dans la durée relève d'une alchimie subtile qui peut échapper aux désirs, aux intentions comme aux promesses. En particulier quand fidélité à l'autre et fidélité à soi-même se combattent ou ne peuvent coexister.

— —

Seul l'amour permet tout, donne tout, le silence qui étreint ou la musique qui emporte, de se déchirer sur les aigus de l'autre et d'y retrouver pourtant ce qui grave l'étincelle de la découverte absolue de l'un par l'autre.

Olympia Alberti

— —

Et beaucoup plus tard...
mieux différencier l'amour amoureux de l'amour parental

Et puis, un jour, tu es devenue mère à ton tour. Tu as changé de génération et de nouvelles questions ont surgi à la recherche même des sources et des origines de l'amour.

J'ai l'air, comme ça, d'avoir condensé le temps d'une enfance et d'une adolescence en quelques pages, mais je reviendrai encore longuement aux années bleutées où tu me harcelais de cette question toujours présente, jamais épuisée : « Dis, papa, l'amour c'est quoi? »

L'irruption de la maternité dans ta vie a soulevé tant d'interrogations autour de l'amour que je ne peux les reprendre toutes.

Une, cependant, nous a occupés plusieurs mois.

— On ne nous apprend pas à aimer. Il faut tout inventer, c'est pas juste... Il n'y a pas de modèle, même toi avec maman vous n'avez pas été un exemple dans ce domaine.

— Hélas non, ma toute déçue, il n'y a que dans les romans et les films où les héros peuvent nous apparaître ou se présenter comme des modèles et nous donner envie de leur ressembler. Je ne me prétends ni un modèle, ni une référence, seulement un témoin engagé.

Au-delà de l'élan amoureux, de l'attirance et de tout l'imaginaire qui s'y rattache, la naissance d'une relation amoureuse se structure le plus souvent autour d'un malentendu fondamental et en quelque sorte inévitable.

Le savais-tu ? L'as-tu déjà découvert dans tes propres rencontres ? Dans les expériences variées de ta vie amoureuse ?

Le premier modèle de l'amour que nous engrangeons comme enfant et futur adulte est celui de l'amour parental. Beaucoup d'entre nous ont eu le sentiment qu'ils avaient été aimés par leurs parents ou par leurs substituts et qu'ils avaient pu également les aimer.

Mais encore faut-il ne pas oublier que l'amour parental, quand il est présent, est un amour d'une nature très particulière. Il est censé être donné et offert aux enfants pour leur permettre justement de pouvoir se séparer un jour de leurs parents. C'est un amour destiné à nourrir et à développer chez celui qui le reçoit une sécurité, une confiance en soi, une autonomie affective sans dette ni mission impossible, sans regrets paralysants, afin de pouvoir s'engager à son tour dans une relation d'amour amoureux et plus tard, peut-être, d'amour parental vis-à-vis de sa propre descendance.

Même si, dans la pratique parentale de certaines familles, nombreux sont les écarts, les déviances, les entorses et les incartades par rapport à cette belle perspective, il existe, dans l'imaginaire, dans les mythologies de chacun d'entre nous, un modèle qui sert de référence implicite à l'amour. Oui, oui, je sais bien qu'on a souvent tordu le cou, maltraité et violenté ce modèle. Nous en avons eu dans notre propre entourage de nombreux exemples.

Combien de parents proposent à leurs enfants des sentiments qui recouvrent des relations captatrices, ou des relations possessives, réductrices, voire aliénantes, enrobées de beaux sentiments et d'intentions louables !

Combien d'enfants vont tenter à leur tour de posséder, d'immobiliser, de phagocyter la présence, l'attention ou les sentiments de l'un ou l'autre de leurs parents !

- -

Je suis heureux parce que je passais tout mon temps à surveiller le ventre de ma mère et voir s'il venait un autre idiot, de la concurrence... Je passais des années comme ça et je vis qu'il ne venait pas de frère pour avoir de la concurrence, pour avoir à me bagarrer, après je suis devenu médecin, et je me suis bagarré avec des confrères, systématiquement.

François Tosquelles

- -

Ce sont des phases, vas-tu me déclarer aujourd'hui que tu es devenue femme, dans l'évolution de tout enfant. Peut-être même te souvient-il de certaines réactions de ta part vis-à-vis de tes frères, de tes sœurs ! De tes jeux de séduction ou d'opposition, de tes bouderies, de tes pleurs. De tes désespoirs que tu croyais éternels face à l'une ou l'autre des positions de ta mère ou de moi-même, qui te paraissaient à l'époque incompréhensibles et insupportables. De tes envolées ou des grandes déclarations définitives que tu nous lançais à l'un ou à l'autre suivant les époques : « De toute façon, dans cette famille, personne ne sait aimer ! » ou encore : « Il n'y a que papa (ou maman) qui m'aime ici, lui (ou elle) me comprend... » Et cette accusation formelle : « De toute façon tu ne m'as jamais réellement aimée » ou encore : « Ça ne sert à rien d'aimer quelqu'un qui ne pense qu'à vos résultats scolaires (coup d'œil dans ma direction), qui ne voit qu'un carnet de notes chez ses enfants et qui prétend l'escroquer en lui disant (là, ton de mignardise ridicule) : "Tu sais que je t'aime, ma chérie, que je me fais un réel souci pour toi." Et le pire vois-tu, papa, c'est le chantage à l'amour, ça c'est dégueulasse. Dire à son gosse avec une voix plaintive et geignarde : "D'ailleurs si tu m'aimais, tu ferais des efforts !" Ça, c'est parfaitement immonde ! »

Je m'entends encore réagir et m'écrier sincèrement, choqué : « Moi, j'ai dit ça ? Jamais... »

Et toi de me répondre : « Oh, tu ne l'as peut-être jamais dit comme ça, mais c'est tout comme ! Tu l'as pensé et ça c'est pire ! Je le lisais dans ton regard, dans tes attitudes, tes mimiques, je le voyais dans toute ta façon d'être avec moi quand je te décevais avec mes résultats scolaires... J'en viens à penser que c'est dans les familles aimantes qu'on se blesse le plus "à coups d'amour meurtri", qu'on se violente avec le reproche le plus injuste et certainement le plus sincère, celui d'être mal, pas assez ou trop aimé. »

Mais revenons à nos échanges d'aujourd'hui, je veux dire de ce temps-là, et à la différence entre l'amour parental et l'amour amoureux...

– La littérature, le cinéma, l'inconscient collectif véhiculent la beauté d'un amour naturellement bon et vertueux, d'un amour oblatif, entièrement tourné vers l'autre. L'amour est censé être d'une pureté si lumineuse qu'il est supposé ennoblir celui qui l'éprouve et l'offre, susceptible de combler et de magnifier celui ou celle qui le reçoit. L'argument de l'amour semble être une excuse parfois, il sert de circonstance atténuante. Sais-tu par exemple que les jurés et les magistrats ont tendance à être plus indulgents quand ils jugent un crime passionnel que quand ils jugent un crime sexuel ?

L'amour amoureux, lui, tente de se développer, de se construire avec d'autres prémices que l'amour parental.

• Si je t'aime, si tu m'aimes, c'est pour rester le plus longtemps possible ensemble !

L'amour amoureux peut viser par exemple à susciter de l'attachement :

• Montre-moi que tu tiens à moi, que je suis important, unique, indispensable et je vais te laisser croire qu'il en est de même pour moi.

D'autres fois il est réclamé comme une nourriture pour alimenter le besoin jamais comblé de réassurance :

• Dis-moi que tu m'aimes, que tu tiens à moi, que tu ne me quitteras jamais, que je ne serai jamais seul !

Et, déjà, nous entrevoyons les combinaisons infinies de l'amour entre celui qui l'éprouve et en témoigne, et celui qui le reçoit, l'accueille, l'amplifie, le rejette, le maltraite ou s'en empare comme d'un objet mis à sa disposition.

— Mais papa, tu compliques tout. Tu mets de la psychologie partout, comme d'habitude ! L'amour, ça a plus de charme, c'est quand même autre chose que cette épicerie. C'est plus simple quand même : quand on aime... on aime ! Ça arrive aussi d'aimer sans se casser la tête avec toutes ces considérations. Quand j'aime et que je me sens aimée, je ne pense à rien de tout cela. Je vis dans un état de bien-être, de bon, de doux. Enfin, aujourd'hui c'est ce que j'éprouve.

Et tu concluais par cette phrase ultime pour me convaincre :

— L'amour c'est l'amour !
— Ça c'est le mythe que nous contribuons à entretenir.

C'est ce à quoi tout un chacun voudrait que l'amour ressemble. On espère tous que l'amour ne soit que de l'amour ! Ce que nous croyons plus ou moins longtemps, avec plus ou moins de conviction ou de vigilance et qui résiste plus ou moins durablement à l'épreuve de la réalité...

— Mais enfin, papa, qu'est-ce qui te prend, tu deviens trop pessimiste en vieillissant. L'amour, quand même, c'est bon, il y a des amours qui durent, qui résistent.

Au fond de tes yeux je percevais en même temps la lumière de la foi la plus vive et les nuages du doute et de la tristesse anticipatrice qui annonçait ton pressentiment intuitif que les amours sont fragiles et périssables.

— Oui, parfois, il y a des amours exceptionnelles, qui survivent, qui traversent les obstacles et les épreuves, voire qui en sortent grandies !

— Ah bon, même pour toi, il y a des amours qui marchent quand même !

— Oui, mais pas tout seuls !

De toute façon j'étais toujours égaré et donc perdu chaque fois que nous tentions d'aborder le sujet délicat, épineux, douloureux et merveilleux de la réalité de l'amour, celui de son devenir et de sa pérennité !

L'amour ne peut se dépouiller de ses rêves. Il est porteur d'espérances c'est-à-dire aussi d'exigences.

Le but de la vie est de vivre, et vivre signifie être conscient, joyeusement, jusqu'à l'ébriété – sereinement, divinement conscient.

Henry Miller

À la recherche du cadeau parfait

Ce fut après cet échange, quand je t'ai vue avec ta fille dans les bras, la berçant de regards et de gestes d'amour si pur, que je fus soudain renvoyé des années en arrière, au cœur d'un épisode vécu avec une de tes sœurs.

C'était le temps de sa seizième année.

Pour elle j'avais parcouru plusieurs rues, regardé des tas de vitrines, farfouillé dans de nombreux magasins et feuilleté je ne sais combien de catalogues en ces temps d'anniversaire. J'étais en quête du cadeau idéal, du cadeau parfait pour cette adolescente que je croyais exigeante, sinon impitoyable, surtout envers moi à cette époque où la relation avec elle était chargée de tensions.

Après deux longues soirées d'hésitations, des heures interminables de réflexions intenses, lessivé, vidé, épuisé, incertain, encore plus dubitatif et plein d'interrogations sur le sens même et le bien-fondé des cadeaux, je n'avais toujours rien trouvé. Et déjà s'infiltrait doucement la tentation de bâcler l'affaire, de trouver n'importe quoi, quelque chose de cher de préférence, pour couper court à toute critique, pour soulager mon manque d'imagination, pour me déculpabiliser surtout de mes nombreuses absences et de mon indisponibilité dont elle ne manquait pas de m'adresser le reproche. Heureusement que j'ai résisté à ma propre impatience.

Et un beau matin, en espoir de cause, j'ai enfin pensé à demander à ma fille ce qu'elle aurait voulu avoir, elle ! Voici la liste des cadeaux qu'elle m'a suggérés avec son écriture à la fois ferme et fragile sur une grande page blanche.

Papa,

J'aimerais être Midinette, notre petite chatte, pour être moi aussi prise spontanément dans tes bras et câlinée chaque fois que tu rentres à la maison... trop fatigué pour seulement m'embrasser !

J'aimerais être un baladeur, pour me sentir parfois écoutée par toi sans aucune distraction. Tu capterais mes paroles en direct, au bout de tes oreilles. Tu les entendrais fredonner l'écho de ma solitude, de mes chagrins ou de mes joies et de mes enthousiasmes.

J'aimerais être le gros journal dans lequel tu te plonges, que tu lis avec sérieux et application. J'aimerais que tu prennes un peu de temps pour me parcourir chaque jour avec des yeux rêveurs, enthousiastes ou interrogatifs, en me demandant de mes nouvelles, ou en t'informant de l'état de mon pays intérieur, des océans de mes rêves, des tempêtes de mes projets...

J'aimerais être une télévision pour ne jamais m'endormir le soir sans avoir été au moins une fois par jour regardée avec attention et intérêt... avec passion !

J'aimerais être pour toi, mon papa, l'équipe de Coupe Davis, afin de te voir t'enflammer de joie après chacune de ses victoires.

J'aimerais aussi être un roman pour toi, maman, afin que tu puisses me lire et me découvrir sans te presser, sans être bousculée par mille choses, que tu puisses être à l'écoute de mes émotions, en respectant les chemins secrets de mes amours et de mes doutes.

Tout bien vu et tout bien réfléchi, j'aimerais cependant n'être au fond qu'une seule chose : un cadeau inestimable pour vous deux. Ne m'achetez rien, permettez-moi seulement de sentir que je suis votre enfant... et que, quoi qu'il arrive, vous pouvez m'assurer que vous resterez toujours... mes parents.

Merci de m'entendre. Seulement m'entendre ! Ce sera un beau cadeau pour mes seize ans. Un âge difficile comme l'affirme votre copain le psycho... qui s'épuise à vouloir vous expliquer « comment me comprendre » alors qu'il suffit de m'entendre.

Oui, à cette époque de notre vie commune un peu chaotique, nous étions si loin de l'amour !

J'aimais ma fille, ma grande, et je n'arrivais pas à la rejoindre. Je voulais qu'elle me parle, qu'elle se dise, qu'elle sorte de son mutisme et j'étais plein de maladresses et de contradictions. Parfois même, je croyais voir de la haine dans ses yeux. Je ne savais pas à cette époque que la haine n'est que de l'amour meurtri, blessé. J'avais dû la choquer souvent par des remarques trop vives, des oublis, des engagements non tenus. J'avais certainement été trop exigeant, trop absent. J'intervenais par à-coups, trop souvent dans le réactionnel. L'amour filial, l'amour parental étaient si malmenés, si violentés par des phrases à l'emporte-pièce qui éclataient au plus mauvais moment.

Dans les périodes de crise tout se passe comme si l'amour effrayé se terrait, se calfeutrait, disparaissait, faisait le mort. Alors je m'arrachais à l'espoir d'un événement, d'une circonstance exceptionnelle qui surgirait par magie pour nettoyer, réparer, laver, me réconcilier avec mes enfants. Un miracle qui effacerait nos désarrois et nos ressentiments mutuels.

Mais les jours et les années allèrent plus vite que nous.

- -

Le soleil est né tout à l'heure de l'imagination d'une caresse.

Julos Beaucarne

- -

Il était une seule fois peut-être
un homme et une femme qui s'aimaient...

Et les années passèrent. J'eus avec ma fille et mes autres enfants bien d'autres échanges, des discussions animées tous azimuts, sur l'amour, la vie, la fidélité, le désir, le plaisir.

Ma petite fille grandit, aima et un jour fut mère à son tour d'une fille qu'elle appela Aurore.

Des années plus tard Aurore, à son tour, demanda à sa mère :

– Maman, l'amour, c'est quoi ?

Celle-ci eut d'abord un mouvement de surprise. Elle se revit soudain toute petite posant la même question à son père. C'était hier ! « Déjà ! » pensa-t-elle. Elle se sourit à elle-même puis se lança courageusement dans l'échange.

– L'amour, pour moi, c'est une chaleur intérieure, une énergie de vie, une lumière...

– Ah bon, je croyais que c'était s'embrasser beaucoup !

– Oui, c'est vrai que c'est parfois être bien ensemble, ce qui peut se traduire et se montrer par s'embrasser beaucoup, mais c'est aussi bien plus que cela...

L'enfant ne lui laissa pas terminer sa phrase.

— Dis, tu l'aimes encore papa ?

La mère redoutait un peu cette question, mais elle ne chercha pas à se dérober.

— Comment te dire ?... Je n'ai pas le même amour pour mon... mari... que lors de notre première rencontre. C'est vrai, mon amour pour lui a changé avec les années. L'amour selon moi est vivant, il naît, il vit et se transforme. Il est un peu comme les saisons. Ton père et moi, nous avons vécu le printemps de l'amour, puis son été porteur de fruits, l'enfant que tu es. Aujourd'hui, moi je me sens un peu dans l'automne de l'amour. C'est comme cela...

— C'est quoi encore l'amour, maman ?

— C'est un bel oiseau près de moi posé. J'essaie chaque fois de le toucher, de le caresser, mais il s'envole toujours. Plusieurs fois je me suis approchée. J'ai même essayé de le capturer, mais il s'envole à chaque fois. J'ai découvert son nom il y a peu de temps. Il porte un nom double, il s'appelle Liberté mais aussi Respect. Et pour voler à ses côtés il me faut moi aussi devenir oiseau.

L'enfant souriait, elle dit encore :

— Parle-moi de l'oiseau amour, maman, parle-moi de l'amour oiseau !

— L'amour oiseau, c'est un prénom du mois d'août, c'est une recherche, une quête, un pays...

— Raconte-moi une histoire d'amour, maman !

— Une histoire vraie ou une histoire inventée ?

— Une histoire vraie mais inventée juste pour moi, rien que pour moi toute seule !

Alors la mère la regarda longuement puis commença lentement :

« Il était un grand nombre de fois un homme qui aimait une femme.

Il était un grand nombre de fois une femme qui aimait un homme.

Il était un grand nombre de fois un homme qui aimait une femme qui aimait celle ou celui qui ne les aimait pas.

Il était une seule fois, une seule fois peut-être un homme et une femme qui s'aimaient. »

– Cette histoire n'est pas de moi, c'est un grand poète, Robert Desnos, qui l'a inventée pour moi et je la trouve vraie.

La petite fille resta un moment silencieuse et rêveuse, puis dit :

– Maman, j'ai faim, on mange bientôt ?

Et quelque trente années plus tard, dans un temps à venir, un petit garçon affirmera peut-être à cette même ex-petite fille, devenue mère à son tour :

– Tu sais, maman, moi je sais la couleur de l'amour, c'est « bleu comme le soleil ».

Mais j'en étais avec ma fille dans son existence d'alors. Adolescente puis jeune femme engagée dans le vécu de l'amour. Femme s'abandonnant et se débattant dans la réalité de l'amour ou, du moins, dans l'une ou l'autre de ses réalités.

Nos partages se sont ensuite appuyés sur l'écriture, les pudeurs, la nécessaire intimité. Si l'éloignement aux antipodes des cycles de vie – car les enfants d'aujourd'hui sont devenus planétaires – a rendu peu à peu nos échanges plus rares, il a permis en même temps qu'ils deviennent plus profonds encore.

- -

Tant que tu crois à la toute-puissance de l'amour, tu ne crois qu'à la puissance et à rien d'autre. C'est vrai que l'amour est invincible. Mais il ne l'est que dans l'exacte mesure où il est sans puissance aucune devant ce qui le tue.

Christian Bobin

- -

Je veux être aimé.
Je voudrais tellement être aimé !

En plus, cet enfant de Bohème [l'amour] ne connaît pas de loi. Il est foncièrement mégalomane. Il croit en sa toute-puissance, mais il suffit d'un rien pour qu'il s'effondre. Candidat perpétuel à la perte, il meurt ou il s'attache. Il est exigeant et têtu, une vieille dame ainsi s'obstinait : « Je veux qu'on m'aime comme quand j'étais petite. »

Jean Cornut

Je t'avais envoyé cet écrit juste après une première rupture amoureuse qui avait violenté ta vie. Quand tu criais à l'injustice de l'amour, quand tu pensais que jamais plus, au grand jamais, tu ne te laisserais aimer. Car tu ne faisais jamais les choses à moitié. C'était l'époque où moi aussi

je tâtonnais dans les méandres et les dédales d'une séparation interminable, commencée des années plus tôt,
oscillant entre des désirs si contradictoires que chaque
décision ressemblait à un passage à l'acte. Tu m'avais
répondu :

— Alors, papa, toujours sur le pont dès qu'il s'agit de
l'amour, toujours en recherche ? Entre maman et toi, vous
devez avoir fait quand même quelques trouvailles inédi-
tes ! Vous pourriez même vous installer comme consul-
tants ou comme dépanneurs de couples en détresse !

Spontanément, tu avais anticipé que notre séparation
ne nous conduirait pas à la guerre et qu'au-delà de nos
divergences demeuraient les possibles de la tendresse et
du respect mutuel.

— D'ailleurs, c'est bien à la relation de votre couple
que vous mettez fin, pas à la relation parentale ! Nous,
on reste vos enfants, et on attend que chacun de vous
tienne sa partition de papa et de maman, de mère et de
père ! J'ai consulté mes frères et sœurs, on compte sur
vous !

Quel chemin parcouru depuis ! Combien t'avait-il
fallu d'années pour arrêter de nous culpabiliser par des
désirs impérialistes : « Moi, je veux que vous restiez
ensemble, je ne veux pas que vous vous quittiez, vous
n'avez pas le droit de divorcer, ni de vous séparer. On
en a discuté ensemble, tous les enfants, même si on est
partagés, la majorité a décidé que vous ne pouviez pas... »
« La majorité de nos enfants a décidé que... » Nous

étions embarqués par un courant qui allait plus vite que nous. Tout ce que je croyais savoir sur l'amour ou le couple ne me semblait d'aucune utilité, si ce n'est que quelques repères m'ont peut-être quand même aidé à ne pas entretenir de la violence et de l'autoviolence.

Les séparations nous renvoient à des blessures si archaïques que seul notre corps, la mémoire corporelle de nos cellules, semble en avoir gardé la trace.

« Je veux être aimé, j'ai besoin d'amour, je n'arrive pas à être aimé ! » Par les temps qui courent de tels propos vont bon train et n'ont rien de choquant. Du haut de son piédestal, le vouloir fait feu de tout bois, ne s'encombre pas de scrupules et s'empare même du registre des sentiments qu'il voudrait pouvoir contrôler et maîtriser.

Combien de fois n'ai-je entendu dans mon travail, reçu dans mon courrier de tels appels, de telles demandes, de telles exigences surtout !

Car trop souvent, en effet, le besoin d'être aimé n'est pas proposé, mais imposé, il n'est pas énoncé mais proféré et lancé contre l'autre ou les autres, en termes quasi impérialistes au travers de messages de détresse insidieusement pervers.

- Si le monde n'était pas comme il est... je serais aimé.
- Si tu étais comme je te veux... tu devrais m'aimer.
- Si tu le voulais... tu pourrais m'aimer.
- Si tu m'écoutais vraiment... tu m'aimerais.

Ainsi se perpétue toute une mythologie de l'amour de besoin et de consommation qui est fondée sur la valorisation du culte du manque avec ses déclarations terrifiantes :

• Sans toi je ne suis rien.
• Moi, j'ai besoin de toi pour vivre.

Le culte de l'amour de besoin ou de consommation repose aussi sur l'acceptation d'une attitude d'ayant droit à être aimé, conçue comme la demande d'une production de preuves d'amour, confirmée par des modèles de relation amoureuse présents dans les mass media. Cela autorise toute une série de reproches énoncés ou silencieux, adressés à l'autre qui ne nous aime pas assez, à celui dont les sentiments ont changé. Être aimé n'est pas seulement une aspiration mais devient, dans ce contexte, une revendication :

• Comment ? tu ne m'aimes plus ? Tu dois continuer à m'aimer... puisque moi je t'aime !

Des attentes voilées s'incrustent peu à peu dans les échanges, des demandes directes ou indirectes s'y nouent férocement et contribuent à développer des relations d'asservissement à l'intérieur desquelles chacun se sent autorisé à exercer son emprise sur l'autre et à tenter de capter ce qu'il croit être le meilleur de lui : son intérêt, son amour, ses sentiments. Comme s'ils étaient des objets domesticables, des produits consommables, marchandables, à disposition.

Le besoin d'être aimé existe certes, chez la plupart d'entre nous. Il participe du besoin plus global d'être relié à plus grand que soi et se manifeste sous des formes diverses. Qu'il s'agisse du besoin d'être reconnu dans sa singularité et son unicité, du besoin de recevoir des marques d'intérêt, du besoin de présence, d'échange, de contact, de regard ou, au-delà, de cette qualité de l'accueil qui caractérise l'amour de désir et l'amour devenu enfin oblatif.

Tout besoin réclame par ailleurs satisfaction à plus ou moins long terme. Mais sur quel mode, quand cette satisfaction suppose ou implique la participation ou l'existence d'un autre ? Dictatorial, tyrannique ou respectueux de l'autonomie du désir et des sentiments de celui-ci ?

Le besoin d'être aimé s'origine en des sources lointaines. Tout commence très tôt dans l'histoire de chacun. Pour le petit bébé il existe un premier temps de dépendance totale. Paradoxalement, cet état d'immaturité le rend en même temps tout-puissant. Dans cette phase précoce, les besoins vitaux, les soins, l'attention, la sécurité affective, la présence, l'amour sont confondus dans un émerveillement réciproque vécu par l'enfant et sa mère du fait de cette relation comblante. C'est ce qui fonde le sentiment d'être et d'exister du bébé. Pour lui le langage de l'amour passe essentiellement par le corps au travers du toucher, du bercement, de regards, de paroles dont les vibrations traversent la peau et retentissent dans les os et les viscères.

Le besoin d'être aimé a alors le même statut que les autres besoins existentiels. Tout est dû, tout coule de source. Tout « baigne » dans un partage fait de réciprocité, si le bébé reste gratifiant pour sa mère. La satisfaction du désir est soumise entièrement à la nécessaire omniprésence d'une maman et parfois d'un papa, qui s'adaptent au plus près des besoins du bébé, allant même, parfois, jusqu'à délaisser leur relation de couple à ce moment-là. La tâche leur est entièrement dévolue de répondre à ce bébé qui règne en adorable petit potentat domestique comme a pu le décrire Freud parlant alors de « *his majesty baby* ».

Puis survient peu à peu le sevrage relationnel, ce temps nécessaire de la défusion pour le couple bébé/parent, avec ce passage difficile de la maman à la mère[1], de l'« infans[2] » baignant dans un sentiment océanique primordial à l'enfant conscient d'être un « Je ». Ce cap est une épreuve de renoncement et d'acceptation pour les petits comme pour les grands.

La maman doit apprendre à se retirer, à ne pas toujours répondre ou anticiper sur les besoins de sa progéniture pour lui laisser un espace d'exploration. Elle doit être capable de diminuer son influence pour laisser croître

---

1. A l'intérieur du rôle parental la position relationnelle « maman » correspond à l'ensemble des comportements, des paroles, des attitudes orientés essentiellement vers l'enfant. Elle est constituée d'oblativité (gratifications, dons, disponibilité, acceptation, émerveillement). C'est la partie comblante avec des oui sans réticences et en abondance.

La « mère » correspond à l'ensemble des comportements, paroles et attitudes qui introduisent des frustrations et qui témoignent de l'existence d'intérêts en dehors de l'enfant ; parmi ces intérêts le père de l'enfant (refus, délais, attentes, absences, gronderies, manifestations d'impatience, insatisfactions ou exigences). Un enfant, pour construire sa relation au monde, a besoin de ces deux positions auxquelles viendront s'ajouter les positions « papa » et « père ».

2. L'enfant qui ne parle pas encore.

son enfant. Il lui appartient de prendre sur elle et d'accepter de ne pas être la seule dans son univers. Et aussi de pouvoir être séduisante mais non séductrice et se rendre à cette double évidence : « Je ne peux pas tout lui apporter et mon enfant ne peut pas être tout pour moi. »

— Alors, je suis passée par tous ces chemins sans me perdre en route ?

— Oui, je trouve d'ailleurs que tu ne t'es pas trop mal débrouillée pour un début dans la vie !

— Et moi, je suis en train de me rendre compte que j'ai eu un sacré courage de faire confiance à un homme et à une femme sans expérience qui devaient tout apprendre de leur métier de parents, qui s'exerçaient et se faisaient la main sur moi !

— Tu nous as surtout appris la différence entre sentiments et relation. Avec toi, j'ai réalisé que le plus beau cadeau que l'on peut faire à un enfant, ce n'est pas tant de lui donner de l'amour ou de le couvrir de bons sentiments mais plutôt de lui apprendre à s'aimer. À l'époque, je n'avais aucune disponibilité pour l'écoute, j'étais une sorte d'homme de Néanderthal naïf, une espèce de barbare sentimental qui croyait effectivement qu'il suffisait d'aimer ses enfants pour que ça marche ! Ç'a été l'horreur, la panique, la pagaille et la débâcle éducative la plus complète.

— Alors, j'ai bien raison quand je prétends devant mes frères et sœurs que ce type qui leur sert de papa et de père aujourd'hui, c'est grâce à moi qu'il existe ?

— Tout à fait, avec l'aide de ta mère aussi ! Bon, revenons à notre bébé de tout à l'heure, reprenons le parcours du combattant de tout enfant qui s'élance dans la vie !

Le bébé de son côté va émerger progressivement du chaos initial, construire sa propre pensée, sa propre individualité en étant confronté à l'attente, à l'absence et aux frustrations. Il va buter contre des limites, des interdits et découvrir que tout n'est plus simplement dû ou acquis tout de suite, pour lui tout seul, exclusivement, inconditionnellement et définitivement comme il le voudrait.

C'est ainsi qu'il se construit progressivement en tant que sujet, ou comme une personne, et qu'il peut, au fur et à mesure, accepter de se détourner de la recherche de la satisfaction à l'extérieur de lui-même et développer ses propres ressources par un retournement sur lui et à l'intérieur de lui. Il se redresse, se verticalise, commence à se tenir debout au plan psychique comme au plan physique. Il peut commencer à devenir plus actif et plus autonome dans la satisfaction de certains de ses besoins. Il prend alors conscience que les relations ne sont pas à sens unique, qu'il est un partenaire interactif dans l'échange, qu'il peut être soumis à des demandes, qu'il a lui aussi à donner, à se rendre aimable ou à le devenir.

– C'est pas très marrant de grandir, je comprends pourquoi des fois je voudrais redevenir petite...

– C'est vrai que le doute et la discontinuité font peu à peu place à la sécurité, à la plénitude, aux certitudes, aux privilèges et aux avantages acquis dans les premiers temps. Le besoin d'être aimé se différencie des autres besoins. Il connaît ses premiers aléas et ses premières vicissitudes et l'enfant commence à se demander plus ou moins clairement, mais toujours avec inquiétude :

- Et si je n'étais pas digne d'être aimé ?
- Suis-je suffisamment aimable pour mériter l'intérêt que l'on me porte ?
- Qu'ai-je fait – ou pas fait –, que devrais-je faire pour continuer d'être aimé ?
- Quel prix vais-je alors payer ce besoin d'être aimé ?
- Que vais-je devoir accepter pour maintenir mon niveau de plaisir et mon seuil de satisfaction habituels ?

Ainsi s'opèrent de nouvelles catégories dans le monde qui entoure l'enfant. Il apprend à différencier les actes et la personne qui les produit. Il réalise qu'il peut, par ses cris et ses supplications, influencer l'autre dans son comportement, obtenir sinon la satisfaction de son désir, du moins une réaction, quitte à ce que ce soit une manifestation d'irritation, d'énervement ou de rejet. Mais il se heurte chaque fois au même butoir : il ne peut décidément pas agir sur le désir de l'autre. Il apprend à reconnaître et à aimer ce qui est bon pour lui et ce qui est moins bon. Il aime ce qui lui vient de l'autre et aime qui le lui donne. Parfois, même s'il aime qui le lui donne, il ne reçoit pas toujours comme du bon ce qui vient de cette même personne.

Il arrive qu'il éprouve une certaine ivresse dans l'exercice de cette toute-puissance. Il en retire jouissance, force et assurance, se croit irrésistible et invincible.

Souvent, au lieu de le vivre comme une séparation structurante, comme une différenciation ouvrant sur l'autonomisation, l'affirmation de soi et l'agrandissement de chacun en dehors de l'autre, ce sevrage relationnel se pervertit. Il peut s'inscrire dans le déni du manque, et sur la croyance en la possibilité de faire comme s'il n'existait pas : « Je m'en fous, moi, j'ai pas mal, ça me fait rien. »

Ou bien il est perçu comme un risque, un danger, ou encore il est vécu comme une perte, une déchirure, une blessure de l'ordre de l'effondrement ou de l'anéantissement. Le besoin d'être aimé ressemble à un immense manque qui paraît impossible à combler si ce n'est sous la forme d'une tentative de retourner à l'état de fusion initial des débuts de la vie. Il va chercher à se satisfaire en développant ou en s'engageant dans des relations d'aliénation fondées en priorité sur la quête de l'approbation de l'autre ou sur une exaltation et une érotisation du manque.

— Ah, toujours le besoin de compliquer ce qui pourrait se dire de façon plus simple ! Tu récidives, tu ne peux pas t'en empêcher... C'est cyclique chez toi. Par moments, tu t'en sors assez bien, j'ai l'impression de comprendre quelque chose, et puis non, ça revient...

— Qu'est-ce qui est donc trop compliqué pour toi ?

— Tout ce que tu viens de me dire, là, à la fin...

— Eh bien, le bébé que j'ai été, ou celui que tu as été, s'il ne s'est pas senti entendu dans ses besoins de contact proche, peut vivre le sevrage comme un abandon, un rejet, une négation de sa personne et...

— Et ?

— Et adopter à ce moment-là différents moyens, stratégies ou manœuvres pour s'en sortir, pour faire face, pour survivre, quoi ! Il peut s'accrocher encore plus à la mère, ou au contraire s'anesthésier : « Moi, de toute façon, j'ai besoin de personne, ça ne me touche pas ! »

— Et ton truc de l'érotisation, c'est quoi ça ?

– Il peut chercher du plaisir en lui-même...

– C'est bon, ça ?

– Parfois c'est ce que nous croyons... Enfin, ça peut l'être un certain temps ! Bon, l'essentiel à retenir est qu'il existe un rapport ou un lien étroit entre ces premières relations et les séparations inévitables qui en découlent et la façon dont plus tard on pourra ou non s'engager dans une relation. Comment on passera de la rencontre amoureuse à la relation de durée. Comment on proposera une relation énergétigène – avec plein d'énergie – ou au contraire comment on imposera une relation énergétivore – qui bouffe ou pompe des énergies.

– Oui, c'est ça le plus important : saisir qu'avec beaucoup d'amour on peut entretenir, nourrir ou imposer à l'autre une relation merdique et mortelle !

– Ou bien encore la subir et se la laisser imposer, toujours au nom de l'amour qu'on éprouve pour quelqu'un ou que quelqu'un éprouve pour nous.

– Alors si je suis bien ce que tu es en train de m'expliquer, les problèmes de couple ne seraient pas vraiment des problèmes de couple, mais seulement des problèmes personnels qui sont réveillés et qui se vivent à travers l'autre ?

– On peut le dire comme ça... Il y a toujours une intrication entre aspirations personnelles et aspirations à vivre en couple, et souvent au début ces aspirations semblent être identiques chez l'un et chez l'autre avant de se révéler différentes voire incompatibles dans la durée de vie de la relation. De toute façon on ne choisit pas son partenaire par hasard...

– Alors, il vaudrait mieux, avant de se marier, nettoyer

la tuyauterie relationnelle ! Cette précaution éviterait bien des souffrances et des violences.

– Je le crois aussi. À l'âge adulte chacun va se comporter, même s'il n'en a pas toujours conscience, en écho à ce vécu de l'enfance. Il prendra alors l'habitude d'accepter des relations de dépendance, de contrôle ou de perversion et s'exposera en contrepartie à en payer le prix par des difficultés à s'affirmer, en niant la blessure brûlante du manque ou encore en essayant d'exercer son emprise sur l'autre. La recherche amoureuse va consister en une quête nostalgique d'un paradis perdu, le partenaire élu sera celui qui paraîtra alors le plus apte à remplir ce rôle et à accepter la charge ou la responsabilité d'en être le gardien et d'en assurer la pérennité. L'amour sollicité sera un amour de besoin qui va s'exprimer essentiellement en creux, comme s'il prenait naissance dans les entrailles du sentiment de manque. Des attentes sourdes ou violentes, des blessures douloureuses et mal cicatrisées vont se réveiller d'où vont s'échapper des plaintes lancinantes :

- Je n'ai pas été aimé.
- J'ai été mal aimé.
- On n'a pas su m'aimer comme je voulais, comme j'aurais voulu.
- Je suis trop seul.
- J'ai peur de ne pas trouver l'amour que je cherche depuis si longtemps.
- J'ai quand même bien le droit d'être aimé !

— Eh oui, c'est bien vrai, ça ! On a quand même bien le droit d'être aimé !

— L'ennui, c'est que toutes ces plaintes, quand elles occupent entièrement l'espace de la relation, empêchent le recevoir et parasitent la rencontre véritable.

— Je vois effectivement autour de moi des couples où les partenaires me donnent le sentiment qu'ils cohabitent, mais qu'ils ne se sont pas encore rencontrés.

— Cette recherche insatiable de l'amour de l'autre finit parfois par être considérée comme la seule réponse valable et acceptable. Elle constitue un attrait ou elle devient même, à elle seule, un objet de fascination, elle peut agir comme une source d'excitation qui exacerbe ce besoin blessé, frustré ou impératif. Ce qui va se traduire le plus souvent par des conduites relationnelles si maladroites, si excessives ou si revendicatrices, qu'elles vont faire fuir ou tenir à distance l'aimant potentiel.

— C'est fou ça ! Celui qui est le plus dans le besoin d'être aimé se comporte et agit comme un repoussoir et pas comme un aimant. Il y a en effet de quoi avoir envie de fuir en courant.

— Il semblerait... Pourtant ce n'est pas toujours le cas, loin de là... Ces demandes d'amour vont souvent être à l'origine de choix amoureux truqués et à la base d'engagements dans des relations qui vont finir par se révéler à la longue aliénantes, perverses, possessives et insatisfaisantes, ce que tu entendras parfois énoncer sous ces formes-là :

• Je n'avais pas l'impression d'être aimé. Malgré tous ses « Je t'aime » je ne recevais rien d'elle. Je me sentais dans l'obligation de l'aimer, dans le devoir de lui témoigner de façon quasi permanente mes sentiments.

• Il n'était que demande, captation, possession et j'étouffais dans cette relation-là...

• J'avais cru qu'il m'aimait alors qu'il aimait surtout mon amour, mon attachement pour lui !

• J'avais tellement peur d'être seul, de ne pas être aimé, que j'ai pris l'intérêt, les marques d'attention qu'elle manifestait pour moi comme un sentiment d'amour réel. Je suis tombé des nues quand elle m'a dit qu'elle se plaisait en ma compagnie, qu'elle me trouvait gentil, pas menaçant et drôle... mais sans plus.

• J'avais pris pour de l'amour à donner ce qui n'était chez elle qu'un sentiment de bien-être en ma présence et de confiance à mon égard. Quand j'ai commencé à être exigeant, à vouloir plus... elle n'a plus éprouvé ce sentiment de bien-être avec moi. Elle m'a quitté !

C'est que, dans la faille immense du manque, dans la béance du besoin de l'autre et dans la vacuité du désir à être entendu, reçu, comblé, la demande d'être aimé n'en finit pas de quémander. Elle puise dans les réserves de la toute-puissance infantile, elle ne se prive de rien et joue sur tous les registres. Au diable l'avarice ! Elle saura user et abuser de la victimisation passive ou active, du dolorisme et du sacrifice, de la mise en scène et de la théâtralisation. Elle saura recourir à la loi du tout ou rien, en passant par le harcèlement, les caprices et les trépignements ou les jeux de séduction.

– Quel tableau épouvantable tu dresses là ! Tu veux à

tout prix décourager tous les aspirants ou toutes les candidates à l'amour ?

– Oh, pas les décourager, mais seulement les inviter à être plus vigilants et lucides, les inciter à devenir plus responsables, ou simplement plus conscients, pour arrêter de faire payer à l'autre leurs propres aveuglements !

– Mais, papa, tout ça n'est possible qu'avec un peu de bouteille. Tu m'aurais fait tout ce prêchi-prêcha quand j'avais vingt ans, je t'aurais envoyé sur les roses !

– C'est bien ce que tu as fait ! Tu ne t'en souviens peut-être pas, mais moi je n'ai pas oublié ! Tu m'as envoyé sur les roses et dans les orties aussi, car tout se passe comme si pour intégrer ce genre de savoir, il fallait passer par la souffrance, par l'échec, par tous les écueils d'une vie à deux ! Et t'en parler à ce moment-là aurait été une véritable agression. Quand on est pris dans le feu de la relation, tous les conseils ne servent pas à grand-chose !

– Alors, on est toujours comme ça, les victimes de notre éducation, des cobayes jetés dans l'arène, des rejetons maltraités par les surdités et les cécités des uns et des autres ?

– C'est un peu cela même si ce n'est pas que cela !

– On pourrait quand même nous apprendre quelques petits trucs à l'école, nous donner quelques repères, des balises pour savoir où *on met les pieds* ! Nous sensibiliser, nous éveiller, car on croit aimer et être aimé et on va au casse-pipe et au massacre mutuel dans une incompréhension totale.

– C'est mon rêve qu'on enseigne un jour la communication relationnelle à l'école comme une matière à part entière !

— Et qu'on y ajoute deux ou trois petits chapitres sur l'amour ?

— Malheureusement il ne suffira pas de savoir, surtout à l'avance. Il y a une telle part d'irrationnel dans l'amour ! Chacun veut croire aux vertus de l'amour, de l'harmonie, chacun oublie trop facilement (ou ne cherche pas à savoir ou à découvrir) que pour pouvoir être aimé il faut avoir pu et su développer en soi beaucoup de liberté et laisser naître un profond respect pour l'autre et sa propre liberté.

Car un des paradoxes de l'amour oblatif réside, semble-t-il, dans cette vérité toute simple que pour pouvoir recevoir de l'amour il faut avoir déjà comblé ses manques. Ou pouvoir les accepter. Ou avoir su y puiser des énergies suffisantes pour les sublimer et les compenser.

— Mais comment faire, alors ?

— C'est qu'il n'y a pas vraiment de recette — encore que... recette ne veut pas forcément dire résultat identique, chaque cuisinier garde aussi ses secrets, ses trucs ! Tout ce que je crois, c'est que c'est à chacun de trouver ses propres réponses, ses propres ressources, son propre tour de main, quoi !

Le recevoir ne supporte pas la voracité du manque. Il y tombe comme dans une cavité sans fond, aux parois lisses contre lesquelles rien n'adhère. Il n'y trouve pas d'ancrage pour se reposer ou de port pour accoster. Il s'accommode mal des exigences si difficiles à contenter, toujours insatisfaites, jamais suffisantes. Le recevoir ne peut s'inscrire que dans le plus. Il ne peut que se blottir dans le rebondi du plein, se lover contre les flancs replets de l'entièreté, de la sérénité et de la paix intérieure.

— Attention, là, tu vires carrément au lyrique, tu te laisses aller à l'emphatique... je ne dis pas l'abscons !

— Je continue sans me laisser désarçonner, le thème que je développe entre dans une phase critique... Ainsi, tu comprends que passer du manque d'amour au désir d'aimer, du besoin d'être aimé aux plaisirs et aux joies de l'aimance semble impossible et inaccessible à beaucoup et relève encore aujourd'hui de l'exploit affectif.

Pour les affamés ou les « accros » de l'amour comme tu dirais, toi, tout se passe trop souvent comme si n'ayant pas été aimés, ou ne s'étant pas sentis aimés, ils ne pouvaient « assurer » leur rôle d'aimant. Ils traversent les rencontres de leur vie, persuadés d'être incapables d'aimer. Dans cette façon de se condamner soi-même, qui ressemble parfois à du masochisme, beaucoup de « manchots[1] » se complaisent, plutôt que de s'employer à apprendre à s'aimer eux-mêmes. Cette complaisance s'appuie sur une croyance devenue si courante qu'elle est déjà quasiment admise dans la pensée collective. Elle est presque devenue un adage populaire.

Souvent, j'entends dire : « Il n'est pas possible d'aimer si on n'a pas été aimé. » Ma croyance, c'est que cette façon de voir ne se vérifie pourtant pas et n'a rien de fatal ou d'inéluctable, sauf quand nous continuons de confondre amour à donner et amour à recevoir comme s'il s'agissait d'un seul et même sentiment alors qu'ils correspondent l'un et l'autre à deux mouvements différents, à deux directions de l'amour.

---

1. Pour rappel ou information, « manquer » vient du latin *mancus* qui signifie manchot.

— Tu ne vas quand même pas parler de l'amour avec des schémas, des équations ?

— Je peux en parler en connaisseur, en expérimentateur témoin, car je suis d'une certaine façon passé à mon corps défendant et au prix de quelques échecs par toutes ces phases. Je peux en parler en termes de vécu même si je schématise pour tenter de te montrer les enjeux, c'est-à-dire l'essentiel ou ce qui me paraît central sur un tel sujet !

— Tu pourrais pas simplifier juste pour que je puisse te suivre sans attraper la migraine !

— En effet il y a d'un côté :

♥ **le don d'amour** : c'est un possible d'amour dont je suis dépositaire et que je peux cultiver, celui que je nourris et que je féconde dans mes terres intérieures et que je peux offrir ou diffuser comme un parfum, sans contrepartie.

Et il y a par ailleurs :

♥ **la demande d'amour** : c'est cette quête en moi d'un autre continent ou d'une « autre part » de l'amour qui serait chez l'autre et qu'il pourrait m'offrir à son tour.

Combien de fois, pourtant, ai-je confondu ces deux mouvements ?

Cette collusion a été si fréquente chez moi qu'elle a entraîné dans son sillage des malentendus, des souffrances, des frustrations et quelquefois des violences. Dans cet amalgame s'inscrivent des marchés de dupes, des fausses dépendances, des trocs voués à l'échec, des tentatives de chantage dans lesquels je suis tombé en entier, chaque fois que je pensais des choses comme :

• Puisque tu m'aimes, je t'aime.
• Si tu me donnes, je te donne aussi.
• Si tu ne m'aimes pas, je ne peux plus t'aimer.

La véritable rencontre entre ces deux mouvements de l'amour sous la forme d'un amour mutuel et partagé, d'un consentement accepté, est-elle si rare, si extraordinaire que nous y soyons si peu familier, si peu habitué ? Nos surdités et nos aveuglements sont-ils si graves et si profonds pour que nous confondions ces deux mouvements de l'amour avec autant de facilité ? Et que nous passions si fréquemment à côté ?

– Mais est-ce que tu crois vraiment qu'on pourrait apprendre à mieux aimer ?

– Apprendre à s'aimer ne fait pas partie de notre culture. Toute forme de narcissisme y est réprouvée et vue comme une manifestation d'égoïsme triomphant et vaniteux. De ce fait nous nous entretenons dans un dénigrement de nous-même appelé sentimentalisme. Dans ce monde il n'existe aucun modèle, aucun repère, aucun lieu d'apprentissage de l'amour. Seulement des cataplasmes pour ses blessures et ses maux, des actes chirurgicaux pour en extirper les violences, des pilules et des filtres pour le voir tout en rose. Il ne reste de place que pour des tâtonnements, des maladresses, des recherches et des quêtes, des errances, et parfois, exceptionnellement, des découvertes et des émerveillements.

— Avec tout ça, les psychanalystes et les thérapeutes du nouvel âge ne risquent pas de se retrouver au chômage ! Les laboratoires pharmaceutiques spécialisés dans les déprimes ont de beaux jours devant eux !

— Avant que l'amour à donner ne puisse acquérir ses lettres de noblesse et s'ouvrir à l'ordre du sacré, avant qu'il ne se construise en potentiel de vie ou ne devienne une grâce rayonnante, une qualité d'être, un don gratuit offert, possiblement accueilli sans autre contrepartie, il faut savoir parcourir les chemins escarpés du renoncement et du dénuement, ceux des choix et de l'humilité. Il faut avoir su lâcher prise sur les démons de la puissance et de la possessivité, traverser les labyrinthes et les déserts de la solitude et peut-être surtout et avant tout rencontrer le meilleur de soi.

— Oh ! là ! là ! tu parles comme un vieux sage revenu de tout !

— Avant que la demande d'amour n'évolue en proposition ou en invitation, avant que le vouloir être aimé ne mute en capacité à aimer, il faut savoir agrandir ses propres ressources et apprendre à devenir un bon compagnon pour soi. Le premier des rendez-vous est celui que l'on se donne à soi-même. Il est la préfiguration de tous les autres.

— Méfie-toi, papa, tu pontifies...

— Avant de découvrir que nous produisons et diffusons de l'amour avec non seulement les dons et les cadeaux reçus de la vie mais à partir d'énergie, de courage et de force puisés en soi et dans le respect de soi, il nous faut admettre la nécessité, mais aussi la valeur d'un patient travail d'archéologie intime, de fidélité envers soi-même. Il nous appartient de nous en donner les moyens et d'en prendre le risque, à travers une démarche exigeante et jamais achevée de clarification et de conscientisation :

• Pour pouvoir accepter de ne rien vouloir obtenir par la force, le chantage, la culpabilisation.
• Pour devenir aimable et aimant (des verbes aimer et aimanter).
• Pour accéder à des niveaux de conscience de qualité toujours plus élevée et profonde.
• Pour trouver en soi des énergies toujours plus vivaces.
• Et que s'accomplissent ces noces intérieures que sont les épousailles de chacun avec lui-même.

– Amen !
– Oui, oui, je sais, je me laisse aller. Mais que veux-tu, j'ai besoin de dire tout cela pour le clarifier à moi-même.

- -

Nos vies ont soif de ce bleu... qui est celui de nos désirs ensevelis, de nos ciels irrévélés, de nos ombres où l'acceptation avance : le bleu du soulèvement de l'âme.

Olympia Alberti

- -

Remplis ta vie d'amour

- -

Toujours, quand il y a un vide dans ta vie,
remplis-le d'amour.
Adolescent, jeune, vieux,
toujours, quand il y a un vide dans ta vie,
remplis-le d'amour,
Ne pense pas « je souffrirai ».
Ne pense pas « je me tromperai ».
Va simplement, allégrement, à la recherche de l'amour.
Cherche à aimer comme tu peux,
à aimer tout ce que tu peux,
aime toujours.
Ne te préoccupe pas de la fidélité de ton amour.
Il porte en lui-même sa propre fin.
Ne le juge pas incomplet,
parce que tu ne trouves pas de réponse à ta tendresse,
L'amour porte dans le don d'affection
sa propre plénitude.
Toujours, quand il y a un vide dans ta vie,
remplis-le d'amour.

Amado Nervo

- -

Et quand il y a un plein dans ton amour
toujours emplis-le de vie.
Ne pense pas « il y en a assez »,
ne pense pas « il y en a déjà trop »,
toujours, quand il y a un plein dans ton amour,
emplis-le d'amour.

La suite est à inventer par chacun...

Méditation labyrinthique

Au mitan de ma vie, j'avais écrit ce petit texte, espérant le partager avec l'un ou l'autre de mes enfants. Et puis, il m'a paru trop sérieux, trop grave, pour faire l'objet d'un échange, alors il est resté ainsi coincé dans des papiers.

Déjà, au départ du labyrinthe, ne pas confondre amour et attachement.

Si je suis (du verbe suivre) la voie de l'amour, je peux enfin commencer à entendre que dans l'amour, je suis (du verbe être) porté dans un mouvement vers l'autre.

Ce chemin me conduira à remonter loin, en amont de ma vie et de mon histoire, pour retrouver les sources de l'amour.

La source de l'amour, ce qui lui donne son énergie, est dans l'amour de soi.

C'est l'amour de soi qui permet, qui autorise – dans le sens de rendre auteur – le don d'aimer. Mais le donner en amour, cette sorte d'offrir-là, n'est possible

215

bien sûr que si mon propre besoin d'aimer n'est pas terroriste, au point que je veuille imposer mon amour à l'autre.

Quand je suis (du verbe suivre) la voie de l'attachement – surtout qu'il s'agit rarement d'une décision –, je suis (du verbe être) plutôt dans la demande et parfois l'exigence.

Si mon besoin d'être aimé est un gouffre sans fond, s'il est immense comme un manque, alors je suis prisonnier de la dépendance à ce besoin.

Quand le désir de la présence de l'autre dans la proximité et l'unicité ne me persécute pas, je peux aimer dans le donner, si je ne suis pas enfermé dans le prendre, je peux recevoir.

Ce labyrinthe a ceci de particulier qu'il n'est pas possible de rebrousser chemin dans l'une ou l'autre voie suivie.

Il nous faut donc continuer à avancer dans le labyrinthe de l'amour.

On voyait le sillage mais nullement la barque, parce que le bonheur était passé par là.

Jules Supervielle

Où il est question
du terrorisme amoureux

- -

L'amour nous fait rêver et par là même nous transforme, c'est un des rares phénomènes humains qui nous permet d'accéder au meilleur de nous-même et parfois aussi... au pire.

- -

Notre échange, ce jour-là, commença sur le mode du conflit. Cela voulait dire qu'il y avait à entendre.

– Ce n'est pas parce que tu écris des tas de livres sur l'amour que tu dois te considérer comme un expert !

– C'est l'impression que je te donne ?

– Oh, je le vois bien, chaque fois qu'il y a des invités à la maison, ils sont tous là, à te poser des questions, à te demander conseil et à attendre tes réponses... Je trouve ça débile.

– Ça *te* paraît débile !

– Oui, c'est con, parce que moi aussi j'ai envie parfois de t'interroger comme quand j'étais petite. À cette époque-là j'étais surtout dans l'imaginaire et dans la découverte incrédule de tout ce qui touchait à l'amour. Toi, tu m'apportais des réponses drôles, à la fois poétiques et réalistes. Aujourd'hui c'est plus complexe, c'est trop compliqué, trop difficile. Un père, d'ailleurs, c'est bien la dernière personne à qui une fille peut s'adresser en matière d'amour. Moi, je sens que je suis parfois trop ambivalente avec toi...

– Oui, parfois, souvent...

– Trop tiraillée entre toutes les images, les représentations que j'ai de toi. Tu es un père et un papa si multiple... Merde, je veux m'en sortir seule, comme une grande, affronter mes déceptions et mes enthousiasmes sans me sentir coupable ou illuminée. Pouvoir vivre mes tâtonnements et mes réussites sans en rendre compte à personne, surtout pas à toi, papa. C'est pour ça que des fois, je ne t'écris pas, je ne te téléphone pas durant des semaines...

– Et même des mois !

– Je ne t'en ai jamais parlé, mais chaque fois qu'une de mes histoires d'amour a mal tourné, j'avais le sentiment que c'était bien fait pour toi, que tu n'avais pas le droit d'être heureux, de me voir heureuse. Alors je me cachais et je te disqualifiais. C'est dingue !

– ...

– Je travaille aujourd'hui tout cela en analyse.

– ...

– Oui, tu vois, même ça, je n'ai pas voulu t'en parler

218

depuis dix-huit mois que j'ai commencé. Ça m'appartient, c'est ma démarche à moi seule.

– ...

– J'avais peur aussi que tu sois triste ou que tu te mettes à pleurer en me voyant malheureuse. Un père qui pleure quand sa fille déraille n'a rien d'un père !

Ainsi, il est des déclarations d'amour masquées sous la violence des sentiments. Il ne suffit pas pour un père d'éprouver de l'amour pour l'un de ses enfants, encore faut-il qu'il puisse le donner et qu'il soit reçu. Voilà trois niveaux de l'amour qui ne sont pas toujours rassemblés au même moment.

Chaque homme, chaque femme risque à un moment ou à un autre de tomber dans le piège du réactionnel et d'exercer une forme de terrorisme relationnel à l'encontre de son partenaire ou de son interlocuteur. Cette pratique est plus particulièrement active, semble-t-il, dans les relations proches et tout spécialement dans les relations de couple. Le terrorisme amoureux peut commencer très vite, dans les premières rencontres. Il s'implante dans les premiers échanges, il s'amorce avec une petite phrase banale, innocente, qui contient en germe tous les reproches qui seront ultérieurement adressés.

• Vous ne m'aviez jamais adressé la parole.
• À la cafétéria j'ai bien vu que vous regardiez surtout les blondes, les brunes ne semblaient pas vous intéresser.

• Si vous arrivez en retard c'est que votre amour n'est pas aussi profond que le mien.

Les débuts du terrorisme amoureux sont subtils, ils peuvent ressembler à un jeu. Par la suite il se révélera plus direct, plus brutal, plus incisif, mais il vise toujours à confirmer son pouvoir sur l'autre. À contrôler la relation ou à mettre *down*, c'est-à-dire en position de vulnérabilité, le partenaire choisi.

• J'ai besoin de toi, je ne peux pas vivre sans toi.
• Si tu ne me fais pas cet enfant, je préfère te quitter...
• Quand j'ai rencontré Pierre, nous dit Johanna, je sortais d'une relation amoureuse tumultueuse dans laquelle j'avais pensé pouvoir retenir mon partenaire en acceptant tout de lui, en me soumettant à toutes ses demandes et exigences. Avant de découvrir deux ans plus tard que mon « amoureux », comme je l'appelais, n'avait jamais renoncé à un premier amour dont il était resté dépendant. Je me mourais d'amour pour un qui se mourait d'une autre.

Aussi, après cette première aventure marquante, Johanna s'était-elle donné une injonction puissante : « Je ne me laisserai plus avoir, il n'est plus question que je souffre, surtout ! »
Elle se montra surtout soucieuse et préoccupée de tester la solidité du lien amoureux avant de s'engager et elle s'employa à maintes vérifications tout à fait légitimes à ses yeux !
Pierre était très attiré par Johanna. Attentif, débordant

de gentillesse, il témoignait d'une réelle présence. Mais tout se passait comme s'il n'en faisait jamais assez à ses yeux selon elle. Au téléphone, ou quand elle le retrouvait, elle l'abordait avec des réclamations, des reproches :

• Tu ne m'as pas téléphoné hier soir.
• Ce matin, quand je suis passée devant chez toi, j'ai vu que ta voiture n'était plus là !...
• J'aurais voulu que tu penses à m'apporter ce disque dont nous avions parlé la semaine dernière !

Sous forme de petites remarques parfois cinglantes, de reproches directs et d'accusations indirectes, le sabotage de la relation avait commencé très tôt, à l'insu de l'un comme de l'autre.

Plus tard, Pierre nous dira :

• J'avais le sentiment d'un gâchis permanent. Les moments où nous nous sommes le mieux aimés c'est quand nous n'étions pas ensemble. L'attente que j'avais d'elle était si lumineuse, qu'elle me transportait, je vivais dans une sorte de transe.

Mais quand nous étions ensemble, c'était terrible et grotesque ! Tout devenait source de problème, de conflits ou d'échanges houleux.

Le temps se rétrécissait, les tensions prenaient le dessus sur l'attention. Toutes nos rencontres se passaient à énoncer ou à constater tout ce que nous aurions pu faire ensemble si... Quel gaspillage d'amour entre elle et moi !

— C'est terrifiant tout cela, car on ne s'en rend même pas compte. Je suis sûre que moi aussi j'ai réagi et je me suis comportée parfois comme ça. Je me souviens au lycée, en seconde, j'ai sadisé toute une année Arnaud qui m'aimait passionnément, qui se montrait pourtant plein d'attentions, de tendresse et surtout d'une grande gentillesse. Je crois que je lui faisais payer sa non-séduction ou son manque d'effet sur moi. Il se contentait de m'aimer, et moi, je voulais qu'il m'emballe, me transporte.

— Le terrorisme amoureux a pour fondement une illusion très ancienne en chacun de nous. L'illusion de la toute-puissance infantile que tous les bébés ont vécue entre la naissance et... disons globalement... de quatorze à vingt-quatre mois. C'est-à-dire au temps béni où tout enfant avait une maman ou une personne qui remplissait cette fonction et qui répondait inlassablement et inconditionnellement à tous ses besoins et à toutes ses attentes. C'était au temps merveilleux où besoins et désirs se trouvaient encore confondus car ils étaient toujours comblés par les réponses attentives et gratifiantes de l'entourage familial.

— On revient toujours à l'enfance, on n'en sort jamais tout à fait.

— Tu le sais, quand on demandait à ma grand-mère d'où elle venait, elle répondait : « Je viens du pays de mon enfance. »

Devenus adultes, nous gardons tous la nostalgie de cette toute-puissance infantile de l'enfant, et les prémices d'une relation amoureuse restimulent particulièrement cette illusion en nous laissant à nouveau miroiter l'idée

222

qu'être aimé, c'est retrouver ou caresser l'espoir de la possibilité d'être comblé.

• Christian avait été un grand séducteur. Las de ces conquêtes trop faciles, il avait rencontré une femme-enfant à protéger qui l'avait ému par sa pureté et sa fraîcheur. C'est elle qu'il a épousée. Quand il rencontre Carole quelques années plus tard, après la naissance de son troisième enfant, il connaît avec elle une entente sexuelle sur laquelle il fonde tous ses espoirs avec l'axiome suivant : « Quand ça va aussi bien au lit avec une femme il faut tout faire pour la garder ! » Il accepte beaucoup de Carole, avec à la fois le besoin et la satisfaction sournoise de se rendre indispensable à ses yeux. Il réagit en rompant sans appel bien des années plus tard, quand il réalise à quel point il a pu renoncer à des valeurs importantes pour lui et qu'il ne supporte plus une relation devenue invivable et usante, malgré les sentiments qu'il continue d'éprouver pour elle.

Il arrive même parfois que l'intuition subtile de l'aimant, sa sensibilité et son ouverture à l'autre lui fassent entendre des demandes qui ne sont pas toujours verbalisées !

• Ce qu'il y a de délicieux avec Georges, c'est qu'il devine mes désirs avant même que je les énonce.
• J'ai senti que Marianne m'aimait vraiment, parce qu'elle entendait et répondait à mes attentes comme si elle avait lu par avance dans mes pensées !

Cette sorte de communication magique devient alors une référence, un modèle de communication idéale. Le terrorisme amoureux s'appuie aussi sur une confusion extrêmement fréquente, celle que nous faisons entre le désir vers l'autre et le désir sur l'autre. Faute de les différencier, nous attendons que le désir « sur » l'autre soit satisfait dans les mêmes conditions et au même titre que le désir « vers » l'autre. Et nous oublions cette différence fondamentale : si le désir « vers » l'autre est un désir autonome que je peux satisfaire seul, le désir « sur » l'autre est un désir dépendant dont la satisfaction dépend de la participation et donc des possibles de mon partenaire.

• J'ai le désir de faire l'amour avec toi, mais ce que je voudrais surtout c'est que, toi, tu aies le désir permanent de faire l'amour avec moi !

Le désir de faire l'amour est par excellence un désir dépendant. Le désir que l'autre ait envie de faire l'amour est un désir doublement dépendant.

Quand notre propre désir porte surtout sur le désir de l'autre, avec des variantes qui vont se révéler, dans la durée d'une relation, très oppressives et contraignantes, la violence des demandes va ravager les possibles d'une relation. Cet impérialisme du désir sur l'autre ne laissera plus de place pour des demandes ouvertes, il s'imposera le plus souvent sous forme d'exigences déguisées.

• Tu devrais comprendre que c'est important pour moi de voir ma mère au moins une fois par semaine ! Je

224

crois que ça lui fait plaisir quand tu m'accompagnes.
Je ne comprends pas pourquoi tu ne veux pas venir
avec moi...

Un signe qui ne trompe pas et qui devrait alerter
chacun des protagonistes d'une relation amoureuse, c'est
la pratique abusive de ce que j'appelle la relation-klaxon
à base de « Tu, tu, tu ».

- Tu devrais laisser pousser tes cheveux, tu étais mieux
avant, avec des cheveux longs !
- Tu devrais maigrir un peu, j'ai remarqué que tu te
laissais un peu aller depuis quelque temps...
- Tu n'es pas gentil, tu me reproches toujours de trop
(ou de ne pas assez) dépenser !

Dans une relation trop proche, les quatre grands
reproches de base qui nourrissent et fortifient le terrorisme amoureux sont :

- Tu as dit ce que tu n'aurais pas dû dire !
- Tu as fait ce que tu n'aurais pas dû faire !
- Tu n'as pas dit ce que j'aurais aimé que tu me dises !
- Tu n'as pas fait ce que j'attendais que tu fasses !

Et toutes les occasions sont bonnes pour adresser de
telles récriminations. Dans ces formes destructrices,
l'amour détourné de son mouvement créateur et ampli-
ficateur peut utiliser n'importe quel prétexte, il est capable de faire feu de tout bois et de tout échange.

— Nous sommes effectivement très habiles ! C'est quelquefois du grand art de voir avec quelle créativité, quelles ressources et quelle inventivité nous maintenons l'autre dans une position basse de soumission... ou de rébellion permanente.

— Ainsi, dans une relation de durée, au-delà des sentiments, il conviendrait de s'interroger sur la dynamique du sentiment amoureux. Il existe une foultitude de saboteurs à base d'injonctions, de menaces, de dévalorisations ou de culpabilisations pour maintenir au profit de l'un ou de l'autre une configuration bien définie des positions d'influence et des rapports dominant/dominé.

• Il se vexe chaque fois que je lui dis de faire attention à sa façon de s'habiller. Je lui dis tout ça par amour et lui, il le prend comme si c'était encore sa mère qui lui faisait une remarque...

• Elle ne supporte même pas que je lui dise qu'elle est belle ou que je l'aime. Elle pense que je lui dis ça pour la rassurer (ou que j'ai quelque chose à me faire pardonner) !

• Quand je lui dis quelque chose d'important, il ajoute toujours : « Arrête, tu ne penses pas réellement ce que tu dis ! » Je me sens chaque fois disqualifiée !

Le décalage qui s'interpose entre les attentes de l'un et les réponses apportées par l'autre va constituer la faille, l'espace et le terrain privilégié sur lequel vont venir se projeter et se réactualiser toutes les blessures inoubliées et inachevées de l'enfance.

Le terrorisme amoureux a aussi pour fondement le

non-respect de l'intimité personnelle de chacun des partenaires :

• Thierry a progressivement interrompu tout contact social, il n'a pas ressenti le besoin de continuer à entretenir ses anciennes relations amicales depuis qu'il vit avec Nadège. Il prétend que sa vie de famille le comble et il utilise cet argument pour maintenir son contrôle, avec beaucoup de bonne foi, sur les relations que continue à entretenir sa femme, de son côté. Il est persuadé et convaincu qu'elle doit tout lui dire et il exerce une surveillance minutieuse de son emploi du temps qu'il justifie à sa façon : « Je ne suis pas un obsédé de la jalousie, la preuve, je ne l'étais pas avant de te connaître ! C'est depuis que je te connais que je suis devenu jaloux. Pour moi, tout irait bien si je savais ce que tu fais. J'ai quand même bien le droit de savoir, je suis ton mari quand même... Si au moins tu me disais ce que tu fais le vendredi après-midi, ton jour de congé, je n'aurais pas besoin de te le demander ou de le vérifier ! »

Thierry, avec une sincérité effrayante, impose sa présence et réclame la soumission de sa partenaire en considérant que son attitude est normale, évidente, qu'elle va de soi parce qu'il est son mari.

L'antidote au terrorisme relationnel et aux violences parfois aveugles de l'amour réside dans le respect de quelques règles que je pourrais appeler règles d'hygiène relationnelle.

— C'est ton cheval de bataille ça, papa, de vouloir nous

apprendre que c'est la qualité de la relation qui prime et qui maintient l'amour vivant !

– Je le crois profondément et, pour avoir été longtemps un infirme de la communication, je peux aussi en parler, non comme un expert, mais comme un témoin très concerné. Je voudrais justement énoncer quelques-unes de ces règles qui pourront aider à amorcer des réconciliations possibles, à sortir de quelques pièges fréquents, à dénouer quelques malentendus, et ouvrir à des perspectives plus joyeuses et légères les chemins de la vie à deux.

Se rappeler tout d'abord que nous sommes toujours trois dans une rencontre amoureuse : l'autre, moi et la relation qui nous relie. Si cette relation a de la valeur, si elle veut s'inscrire dans la durée, elle doit être nourrie, entretenue, protégée.

Mais la règle d'or, celle qui n'admet aucune exception, aucune entorse ou aucun détournement, reste sans doute :

♥ Ne plus parler sur l'autre, prendre le risque de parler de soi à l'autre.

Les hommes en particulier ont un effort certain à faire en ce sens. Et le jour où les femmes se positionneront plus fermement, plus clairement, en n'entretenant pas le discours de l'autre sur elles, elles amorceront l'équivalent d'une révolution relationnelle.

• Plutôt que de me laisser croire que je suis frigide quand je n'ai pas envie de toi, dis-moi plutôt ce que tu ressens à l'idée de ne pas faire l'amour. Parle-moi de ta frustration ou de ta déception. Cela, je peux l'entendre.

Une autre balise à proposer :

♥ C'est à celui qui introduit un changement, à celui qui fait une proposition, comme à celui qui a le plus d'exigences, d'en gérer les conditions de mise en œuvre ou les conséquences.

• Chérie, j'ai pensé que nous pourrions sortir ce soir au cinéma. Si tu en es d'accord, je me charge de prévenir l'étudiante qui garde habituellement les enfants et je m'occupe de leur toilette et du coucher.

Puis-je rappeler qu'il importe de ne jamais confondre les sentiments énoncés avec la relation proposée ?

• Je peux t'aimer et cependant te proposer avec beaucoup de sincérité une relation invivable, à base de possessivité, de contrôle ou de non-engagement...

– Ça, papa, je l'ai découvert en étant des deux côtés de la relation, mais c'est l'une des choses que j'ai eu le plus de mal à intérioriser. Pendant toute une partie de ma vie, j'ai donné aux sentiments une priorité sur la relation. Je pensais qu'il suffisait d'aimer et d'être aimé pour que tout aille bien. Je donnais à l'amour une puissance absolue. J'étais dans le mythe suivant : la relation devait s'ajuster aux sentiments, elle devait être au service des sentiments. Avec l'idée que les sentiments étaient au-dessus de tout, la valeur suprême.

— Et maintenant, comment comprends-tu la cohabitation sentiments et relation ?

— Avec plus de relativité, de réserve et de prudence. Dans mon propre cas, je sens que je donne de plus en plus la priorité à la qualité de la relation. Dans le fait de me sentir bien, confiante, entendue, reconnue et gratifiée de temps en temps. Mais je ne voudrais pas passer du tout-sentiment au tout-relation, j'ai besoin d'une harmonie entre les deux.

— Quand une rencontre amoureuse se prolonge en relation amoureuse et qu'elle se traduit par un projet de compagnonnage ou de vie conjugale, j'invite chacun des partenaires à prendre le risque de se définir sur trois points :

• Quelles sont mes attentes ?
• Quels sont mes apports ?
• Quels sont mes points d'intolérance ?

En prenant la liberté d'inviter l'autre à se positionner aussi... face à ces trois interrogations.

Ainsi, me semble-t-il, sur cette base, peuvent se construire des relations amoureuses chargées de plus de créativité, de stabilité et d'ouverture sur les rires de la vie.

— Ça a l'air de marcher. Dans ma nouvelle relation, c'est une des choses que j'ai voulu clarifier dès le départ. Que lui et moi, nous puissions définir nos attentes, nos apports et nos zones d'intolérance. C'est le dernier point qui nous a paru le plus difficile. Et nous sommes toujours ensemble !

Ce jour-là encore, je n'ai pas osé rappeler qu'il lui faudrait distinguer dans les innombrables variantes de l'amour : l'amour de besoin, l'amour de manque, l'amour de peur, l'amour de consommation... de l'amour de désir, pour pouvoir mieux se positionner encore et encore.

- -

Quand le ciel veut sauver un homme,
Il lui envoie l'amour.

Lao Tseu

- -

Au nom de la rose...
les désirs autonomes
et les désirs dépendants

Sortir ses pas des ornières du terrorisme amoureux passe par des attentions toutes particulières à introduire dans sa vie relationnelle. Par une vigilance à développer sous différentes formes et en des directions multiples, y compris vers soi-même. C'est accepter de se responsabiliser par rapport à ses propres besoins ou désirs. Une étape importante de ce cheminement consiste à apprendre à différencier besoins et désirs et à reconnaître la nature de ses désirs pour pouvoir arrêter de les imposer à l'autre ou ne plus attendre systématiquement que l'autre se mette au service des nôtres.

Ce texte proposé en guise d'illustration de mon propos est une pure fiction truffée de vraisemblances glanées ici ou là, à l'écoute des difficultés courantes du vivre ensemble au quotidien de l'amour. Il pourrait avoir été écrit par ma fille lors d'une de ces tranches de vie qui nous ont éloignés dans l'espace du monde. Ou par une ex-fille en âge d'être mère d'une fille déjà devenue grande.

◆ ◆ ◆

Au début de ma vie commune avec David, je boudais ou je m'énervais pour une fleur.

C'est idiot de faire la gueule ou de râler pour une fleur !

Elles méritent mieux que ça les roses... ou les œillets d'ailleurs !

Parce que, bien sûr, c'est pour une rose que je boudais en ce temps-là.

Une rose rouge tant qu'à faire, et pas n'importe laquelle !

Pas celle que j'aurais pu m'acheter chez le fleuriste du coin en rentrant du travail à midi ou le soir.

Pas celle qu'il m'avait offerte pour mon anniversaire, ma fête, la Noël ou la Saint-Valentin. Chacune d'elles, j'avais pris le soin de la laisser sécher pour prolonger le plaisir de l'avoir reçue, et je la reconnaissais dans la vitrine de la bibliothèque. Et puis, c'était obligé qu'il y ait pensé à celles-là, il ne risquait pas de les oublier !

Pas celle non plus que j'aurais pu lui demander de m'apporter.

Il m'aurait répondu :

« Comment veux-tu que je t'offre la fleur que tu me demandes de t'offrir ?

Je peux t'acheter une fleur, revenir demain avec une fleur.

Je peux t'en rapporter une ce soir ou tout de suite, je peux même aller te chercher un gros bouquet, si tu veux...

Je peux le disposer dans un vase sur la table,

mais pas t'offrir LA rose que tu me demandes de t'offrir !

Si je t'offre UNE rose, je ne réponds pas à une demande...

ou à une réclamation...

je te l'offre, parce que j'en ai eu l'envie, le désir, l'idée, le projet tout seul... »

Tout compte fait, ce n'est d'ailleurs pas vraiment pour cette rose que je boudais.

Mais plutôt pour celle que je n'avais pas eue, autant dire que je boudais donc pour rien...

Disons alors que je boudais pour LA rose que j'aurais voulu qu'il m'offre à son retour, surtout quand on s'était chamaillés la veille, quand j'avais l'impression d'être allée trop loin dans mes propos, histoire de vérifier qu'il m'aimait toujours.

Autant admettre que je faisais la tête pour LA rose que j'aurais tant aimé qu'il ait eu envie de m'offrir.

Et reconnaître pour finir, au point où j'en suis de mon épreuve de vérité vis-à-vis de moi-même, que j'étais bel et bien en colère contre moi, ou triste de réaliser mon impuissance à soulever chez lui l'élan du désir.

Le même désir qui m'emportait, moi, quand j'étais enfant et que comme ça, pour rien... quoique !... j'avais envie d'acheter une rose ou des œillets pour ma maman, le dimanche matin.

Le même que je ressens parfois, quand j'ai envie d'offrir à David le plus beau cadeau du monde, le plus original, le plus cher... ou... plutôt non... le plus simple, pour qu'il ne croie pas que je cherche à me faire pardonner quelque chose, que je vends mon amour ou que j'achète le sien.

C'est fou comme c'est compliqué de faire simple en amour !

C'est fou comme j'ai pu me faire souffrir avec toutes ces attentes !

Comme j'ai pu empoisonner ma vie et ma relation avec cet homme !

— De tout ce que tu as pu me transmettre, papa, même si ça m'a soûlée parfois, il y a quand même des repères et des balises qui m'ont aidée. Je peux t'en remercier maintenant que je suis une femme installée dans ma vie.

J'entends mieux le sens de ce que tu voulais me dire quand tu me parlais de désirs autonomes et de désirs dépendants.

J'apprends à ma fille ou à d'autres cette différence tellement importante entre ce que j'appelle des désirs autonomes, des désirs dépendants et des désirs dépendants au carré ou des désirs dépendants puissance deux.

• Un **désir autonome** c'est quand tu as envie d'une fleur. C'est une envie que tu peux satisfaire toute seule. Aller chez le fleuriste, choisir une rose... la cueillir toi-même dans le jardin...
• Si tu t'interroges, si tu t'aperçois que ce n'est pas vraiment d'une fleur dont tu rêves, alors tu comprendras que tu es dans un **désir dépendant**. Dans le cas présent, c'est peut-être que tu as envie que ton copain

236

t'offre une fleur. Ce n'est pas du tout la même chose. C'est déjà plus compliqué, un désir dépendant, parce que ça suppose la participation, l'intervention d'une autre personne. De quelqu'un qui est peut-être disponible ou peut-être pas, qui n'a peut-être pas le même désir à ce moment-là. Tu t'exposes quand tu es dans un désir dépendant. Tu prends le risque d'être déçue, frustrée, énervée, non pas parce que tu n'as pas de rose, mais parce que celui ou celle que tu aurais aimé voir arriver avec une fleur, comme dans les films, revient ce soir-là avec des mains que tu vois désespérément vides. Tu prends aussi le risque de ne pas te rendre compte qu'il a les mains pleines de caresses et les yeux remplis de mille autres possibles à te proposer ou à te donner...

• Un **désir dépendant au carré** c'est quand tu as envie que ton copain ait envie de t'offrir une fleur. C'est un désir sur le désir de l'autre et non pas un désir vers l'autre.

— Tu vois, c'est encore plus compliqué, un désir dépendant au carré. Tu t'exposes à vivre des méga-déceptions, des méga-frustrations !

C'est à toi de voir quelles sortes de désirs tu as envie de maintenir, d'entretenir ou de cultiver dans ta vie.

— Tu peux me donner un exemple plus concret, plus moderne ou plus branché ? Ça, c'est ton côté fleur bleue, papa, moi, j'ai les pieds sur terre, j'en ai plus rien à faire des roses !

— Ce que je te propose ce sont des exemples, peut-être démodés en effet... Encore que... j'entends parfois des jeunes comme toi rêver de cadeaux, s'imaginer s'endormir un soir à Paris et se réveiller le lendemain à Rome ou ailleurs...

Ce que je te dis, c'est valable aussi pour les désirs les plus quotidiens de la vie. Il t'appartient d'apprendre à t'interroger sur la nature de tes désirs.

Si par exemple tu as envie d'aller au cinéma, ou en montagne, si tu as envie de jouer au tennis, c'est que tu as un désir autonome.

Si tu constates que ton désir c'est d'aller au cinéma, en montagne ou au tennis avec ton copain, c'est que tu as un désir dépendant.

Si maintenant tu as envie qu'il t'invite à aller au cinéma, ou si tu as envie d'aller au cinéma avec lui ce soir-là, si tu as envie d'aller en montagne ou au tennis avec lui, ce jour-là, à cette heure-là, parce que toi tu ne pars en montagne qu'à 10 heures du matin et que tu veux être rentrée à 3 heures de l'après-midi parce que après il fait trop chaud, alors tu es dans un désir dépendant au carré.

— Comme les lits au carré que devait faire grand-père quand il était au service militaire, ou comme les nombres au carré de ma prof de math ?

— Un désir dépendant au carré ou un désir puissance deux, c'est un désir très, très dépendant, ou encore un désir deux fois dépendant, doublement dépendant, dans lequel tu t'enfermes toi-même à double tour...

— Et maintenant que je sais ça, ça me fait une belle jambe ! Je fais quoi ?

— Je ne le sais pas ! Je ne sais pas pour toi, et je ne vais pas te dicter ce que tu as à faire. Je peux simplement te donner quelques principes de base. Reconnaître que tu es parfois dans des désirs dépendants et parfois dans des désirs autonomes, c'est apprendre à négocier avec toi au lieu de t'en prendre à l'autre ou de te mettre en situation de te sentir persécutée. Si tu ne peux pas agir directement sur les sentiments qui se développent en toi, tu peux tout au moins faire quelque chose pour ne pas maintenir grand ouvert le robinet de tes frustrations ! Il t'appartient d'identifier quels sont tes désirs prioritaires...

– Négocier avec soi-même ? Des désirs prioritaires ? C'est comme le code de la route ? Le code de la bonne conduite amoureuse ? Ou alors les règles de base du commerce ou de la diplomatie amoureuse ? Il faut savoir ! J'en apprends tous les jours avec toi !

– Tu verras ce que tu en feras, toi, dans ta vie... Moi, je remarque que c'est souvent parce que nous ne savons pas négocier avec nos propres désirs que nous entrons dans la guerre des reproches ou de l'accusation, dans la victimisation ou la persécution...

Apprendre à négocier avec soi-même, c'est apprendre à reconnaître dans quelle sorte de désir tu es. Quelle sorte de désir t'habite à un moment donné quand tu as une décision à prendre, un choix à faire, quand tu veux y voir plus clair en toi. Si tu constates que tu es dans un désir autonome, c'est OK, tu peux t'en occuper. Si tu découvres que tu es dans un désir dépendant, tu dois apprendre à faire avec les possibles ou les impossibilités de l'autre et accepter de jouer le jeu des relations en acceptant certaines règles comme celle qui veut que la demande soit chez celui qui la formule et la réponse chez l'autre, et t'interroger pour savoir quel est ton désir le plus important à satisfaire tout de suite. Par exemple aller en montagne, y aller avec lui, ou y aller tôt le matin ? Si tu veux y aller avec lui, cela suppose que tu acceptes peut-être de partir l'après-midi, si lui a envie de dormir tard le matin. Si tu veux absolument partir tôt, cela suppose alors que tu puisses renoncer peut-être à rester avec lui, s'il persiste dans son désir ou son besoin de faire la grasse matinée. Ou encore tu auras à renoncer à cette balade-là, ce jour-là, pour rester plutôt avec lui, si tu te rends compte que ton désir prioritaire c'est d'être avec lui... C'est celui qui a le désir le plus dépendant qui aura le plus de difficultés pour apprendre à négocier avec lui-même !

— Décidément, c'est vachement compliqué de regarder tout ça à la loupe, de tout décortiquer !

— Disons que c'est complexe, et que des modèles tels ceux que je te propose permettent parfois d'y voir plus clair dans cette complexité et aussi de pouvoir rire de tous les pièges dans lesquels nous risquons de tomber quand nous sommes en amour !

— Moi, je n'y vois toujours pas plus clair. Ce qui est pénible avec toi, papa, c'est qu'il faut toujours s'interroger, toujours se poser des questions. Moi, je voudrais bien des réponses reposantes, des conseils, que tu me dises ce que je dois faire de temps en temps...

— Ce que je peux te dire aujourd'hui, c'est que je veille dans ma vie à ne pas m'entretenir dans des désirs dépendants ou dépendants au carré. Je n'ai jamais été doué pour l'algèbre, encore moins pour les mathématiques du désir. J'essaie de ne plus m'embêter avec des désirs dépendants sur lesquels je n'ai aucune prise, aucun pouvoir, aucune action possible. Si je ne peux agir directement sur les sentiments que j'éprouve ou que je produis, je peux au moins éviter d'alimenter leur négativité, en n'entretenant pas les risques de ressentiments, la litanie des reproches ou des revendications. Je repère aussi qu'il y a parfois derrière mes désirs dépendants des besoins dépendants, comme le besoin d'être approuvé ou reconnu. Alors je m'arrange pour transformer mon besoin dépendant en besoin autonome. Par exemple je me donne les moyens de me montrer au lieu d'attendre d'être reconnu, je prends le risque de me montrer tel que je suis au lieu de chercher à plaire ou de correspondre à l'image que je pense qu'on attend de moi.

En chemin, j'ai découvert la liberté de me faire plaisir. Je m'offre parfois une rose. Elle représente tantôt l'amour pour moi, tantôt l'amour amoureux qui m'habite, tantôt encore l'amour inemployé que je ne peux manifester quand ma bien-aimée n'est pas là, tantôt encore l'amour et la reconnaissance que je sens en moi pour la vie. Ces roses sur mon bureau ou sur ma table me rappellent à la beauté éphémère du vivant, au cycle de ses saisons...

Et depuis, il arrive que je reçoive de ceux que j'aime – ô bonheur ! – des petits cadeaux de plaisir que j'accueille dans la joie d'aimer et de me sentir aimé.

L'amour n'est-il pas ce qu'il y a de plus précieux ? [...] Cette force qu'il vous donne, il peut aussitôt vous la reprendre si vous ne lui accordez pas les honneurs qu'il mérite. L'amour est fragile, ne l'oubliez jamais, et vous l'êtes, vous aussi qui dépendez de lui. Son pouvoir est immense, et de vous faire du bien et de vous faire du mal. Protégez-vous en le protégeant, et gardez-vous bien de le maltraiter pour éviter qu'il ne le fasse à son tour.

Catherine Bensaid

Un couple qui dure...

- -

L'amour fait se rencontrer et se heurter
deux plaisirs inouïs : le divin plaisir d'aimer
et de s'attacher et le divin plaisir d'être libre.

Jean d'Ormesson

- -

– Mais alors, papa, dans tout ça, un couple qui dure,
c'est quoi ?

Cette question est arrivée après bien d'autres, tu te
débattais, tu t'interrogeais sur des choix de vie, sur des
positionnements pour mieux t'affirmer face à une relation qui te paraissait importante, essentielle. Tu semblais
retrouver un enthousiasme neuf, une vitalité intacte, un
amour plein pour recommencer l'aventure d'un couple.

— Un couple qui dure semble être devenu de nos jours une rareté ou une curiosité en voie d'extinction ! Peut-être aussi une aventure fabuleuse ou exceptionnelle ! La vie de couple, même si elle nous propulse sur des chemins chaotiques et labyrinthiques, si elle nous accule à des impasses, nous ouvre en même temps à des découvertes merveilleuses en nous imposant des orientations profondes.

Commençons par repréciser les bases de ce périple toujours incertain même quand il dure toute une vie.

Un homme, une femme (couple classique) se rencontrent, s'attirent, se reconnaissent, se choisissent... et envisagent de construire un projet de vie ensemble.

Un couple qui dure, ce sont d'abord des partenaires qui acceptent de s'engager, c'est-à-dire de se faire suffisamment confiance pour partager une intimité physique, une intimité de territoire et de temps, une intimité de rêves possibles à réaliser en commun. Et qui pour cela sont suffisamment dégagés de liens antérieurs.

Mais c'est aussi un homme et une femme qui acceptent des mutations, qui devront se confronter à une désidéalisation des belles images d'eux-mêmes, qui devront prendre le risque de voir se réveiller de vieilles blessures, ou de sentir remonter à la surface de leur présent des situations inachevées d'un passé proche ou plus lointain.

Le couple, en effet, est un creuset de changements et de transformations incroyablement fécond, mais aussi une aventure pleine de risques et d'aléas, car chacun des partenaires n'évolue pas nécessairement, ne change pas obligatoirement au même rythme, ni en même temps, ni dans la même direction que l'autre.

Un couple qui dure suppose, au-delà d'un partage de sentiments et d'un respect mutuel, une acceptation et une capacité réelles à dépasser les déceptions, liées au décalage inévitable entre l'idéalisation d'un rêve de vie commun et la rencontre au quotidien... d'une multitude de différences.

– Oui, c'est vraiment quand on commence à vivre ensemble qu'on découvre toutes nos différences et même des incompatibilités. C'est terrible, ensuite, tout le chemin qu'il faut parcourir pour se rapprocher de nouveau...

– Chacun des protagonistes devra sonder sa capacité à s'allier, c'est-à-dire avant tout à se délier d'anciennes ou de précédentes relations significatives. Si l'un ou l'autre ne veut pas que les attachements antérieurs entrent en concurrence, en compétition ou en conflit avec la relation au présent, il aura à renoncer à des nostalgies ou à des espoirs déçus.

Un couple qui dure suppose non seulement un apprivoisement des corps, mais aussi un ajustement des croyances, des valeurs et des systèmes relationnels mis en place à la fois dans le système familial d'origine et dans les expériences de vie propres à chacun.

Beaucoup de partenaires, dans un couple, se proposent très rapidement au début de leur vie commune, même s'ils n'en sont pas totalement conscients, différents codes, différentes clés avec lesquelles ils vont tenter de gérer *a minima* les différences, de valoriser les semblances ou de dédramatiser les imprévus, les incidents et les divers avatars de la vie conjugale. Mais il leur faudra cependant quelque chose de plus, fondé sur le respect mutuel et la mise en œuvre de quelques règles d'hygiène relationnelle, pour donner à l'union de deux êtres une consistance, une solidité pour traverser les ans et engranger des ressources pour affronter tous les imprévus et les morosités d'une existence humaine.

Les balises qui m'ont semblé les plus aidantes, mais qui supposent un véritable apprentissage de la communication relationnelle intime, sont les suivantes...

– Te revoilà avec ton cheval de bataille. Les fameuses règles d'hygiène relationnelle avec lesquelles tu penses qu'une bonne communication peut sauver un couple !

– Pas le sauver nécessairement mais tout au moins lui permettre de ne pas trop se déchirer. Tu les connais parfaitement, et même quand par mégarde je les transgressais, toute petite, tu me reprenais : « Papa, papa, arrête de parler sur moi, parle-moi de toi.... » Je te les rappelle. Tout d'abord éviter la relation klaxon, en renonçant à parler sur l'autre ou en invitant l'autre à ne pas parler sur vous.

– Je pratique, je pratique !

– Éviter les jugements de valeur, les dévalorisations ou les disqualifications. Savoir énoncer des désirs sans les imposer, sans passer par les reproches, ou des accusations, quand ils ne sont pas comblés.

– Ça, c'est pas facile !

– Se mettre à l'écoute du ressenti immédiat et aussi du retentissement. Car dans une relation proche, les faits réels dits objectifs n'ont que peu de valeur par rapport au vécu subjectif, aux perceptions intimes et surtout à la résonance, à la réactualisation des situations inachevées de l'histoire de chacun.

– Oui, à condition que l'autre accepte de partager son ressenti, de dire son vécu !

– Et les hommes ont du mal à se dire ! Il y a aussi : se donner les moyens de partager des valeurs, de confronter des convictions et des imaginaires qui vont se révéler différents ou parfois antagonistes. Cela ne se fera pas sans rencontrer des difficultés !

– Quand j'ai tenté de partager mon imaginaire avec mon compagnon, j'ai cru qu'il allait me prendre pour une folle, tellement il a été ahuri !

– Il appartiendra à chacun de prendre sur lui, de gérer l'incroyable distance ou décalage qui s'interposera à certains moments entre ses attentes et les réponses de l'autre. Car vivre en couple, c'est voir se réactiver chez chacun les vieilles séquelles de la toute-puissance infantile, autour d'une illusion fondamentale : « Si l'autre m'aime, il devrait entendre mes demandes et y répondre, parfois même sans que je les énonce. S'il m'aimait vraiment, il aurait tout de suite compris que je ne pouvais accepter ce qu'il me demandait... »

Vivre en couple dans la durée, ce sera apprendre à faire cohabiter deux intimités... chez chacun.

Une intimité commune et partagée et une intimité personnelle et réservée. La juxtaposition harmonieuse de ces deux intimités sera le garant de la fiabilité des engagements.

– C'est d'ailleurs à cela que j'ai senti que Marc m'aimait. Il a un très grand respect de mon intimité personnelle. Il ne pose pas de questions intrusives, n'envahit pas mon territoire, et a un réel souci de ne rien imposer. Je suis très sensible à toutes ces attitudes aujourd'hui...

– Ainsi par essais et erreurs, par tâtonnements et par ajustements successifs peut se mettre en place une liberté de plus en plus grande à se dire, à être écouté et, par là même, à accepter de s'amplifier et de se soutenir mutuellement. Vivre à deux, c'est aussi apprendre à faire cohabiter des aspirations personnelles et des aspirations propres au couple, puis à la famille quand il y a des enfants. Ainsi, vivre en couple dans la durée suppose qu'au-delà des sentiments et des attirances puisse se développer entre deux êtres la capacité de se proposer d'alimenter et de vivifier des projets de vie communs, au travers d'une relation vivante.

Un amour est à la fois de l'ordre de la révélation et de la création. Beaucoup trop d'amants en restent au temps de la révélation, sans se donner les moyens de le nourrir, de l'amplifier, de l'agrandir dans les grands rires de la vie.

- -

C'est l'attention à l'autre qui fait circuler plus vite l'énergie de la vie.

Christiane Singer

- -

À propos du cycle de l'amour

Un jour tu m'avais demandé comment je voyais l'amour dans le déroulement d'une existence, quelles étapes, quels passages ou quels cheminements pouvaient caractériser les différents âges de la vie.

L'amour, c'est comme l'oxygène, il y en a partout à l'état de potentialité, ses sources en sont multiples, mais sa générosité, ses élans et sa musique sont souvent agressés par des vibrations parasitaires en provenance de nos premiers conditionnements et surtout issus de toutes les pollutions relationnelles que nous contribuons à entretenir.

Il m'a semblé important, tout au long de ces échanges, de démystifier ce qu'il est convenu d'appeler l'Amour avec un grand A, et de montrer comment au cours d'une existence humaine les sentiments d'amour pourront suivre différents mouvements et s'inscrire dans des dynamiques extrêmement contradictoires.

En tentant de décrire la nature d'un sentiment et en présentant la dynamique relationnelle qui l'accompagne, j'ai souhaité inviter chacun à s'interroger sur ce qu'il éprouve dans ce domaine, à prendre conscience de ce qu'il propose en disant « Je t'aime » et aussi à écouter ce qu'il entend quand quelqu'un le lui déclare.

Je pense qu'il est possible, pour chacun d'entre nous, d'accomplir au cours d'une existence le cycle complet de l'amour.

Je vais tenter d'en décrire les étapes les plus importantes.

Nous naissons, non seulement avec une immaturité physiologique importante qui nous place dans la dépendance matérielle de nos géniteurs, mais nous entrons aussi dans la vie avec une immaturité affective tout aussi grande, qui entraînera également une dépendance relationnelle avec ceux qui seront nos parents et les personnes significatives du début de notre existence.

Cet état de dépendance précoce nous place d'emblée, le plus souvent, dans la situation d'avoir besoin d'être protégé, sécurisé et aimé. Et, quand nous sommes ainsi dans le besoin vital et impérieux d'être aimé, il est vraisemblable que nous aurons du mal... à aimer.

• Quand je suis dans la demande, il m'est difficile de donner.

Nous restons parfois ainsi, des années durant, pris dans l'attente, dans l'espoir, dans le rêve d'être aimé, sans savoir qu'il nous appartient de nous aimer pour être capable d'aimer et de recevoir de l'amour.

Certains d'entre nous passent ensuite par une étape plus ou moins longue où ils ont besoin d'aimer. Nous

nous focalisons sur ce qu'on appelle souvent un « objet » d'amour, qui est en fait une personne sur laquelle vont s'investir nos potentialités à aimer. Un être qui sera élu et différencié des autres, qui sera reconnu et désigné comme le réceptacle et le dépositaire de nos sentiments. Sans entendre que ce besoin d'aimer est aussi une demande déguisée, qui contient l'espoir plus ou moins clair et explicite de réciprocité, et qui peut parfois se transformer en exigence quand nous sommes dans le manque d'avoir été... suffisamment aimé.

Nous attendons (ou exigeons) de l'aimé qu'il nous aime à son tour, qu'il nous paye en retour de sentiments identiques.

Dans l'étape suivante, que j'appelle celle de la maturité affective, il peut exister un possible de réciprocité. J'aime et je me sens aimé par celui que j'aime. Je donne sans besoin ou exigence de réciprocité, hors de tout troc affectif, dans un mouvement d'ouverture, d'abandon, de réceptivité et de création.

Souviens-toi : « Il était une fois, une seule fois peut-être, un homme qui aimait une femme qui l'aimait... »

Mais comme nul ne sait à l'avance la durée de vie d'un amour, restera tout l'imprévisible sur le devenir de cette étape amoureuse.

Dans nos expectatives, nos imaginaires, nous pouvons penser que notre amour et celui de l'autre seront éternels. Nous pouvons du moins espérer, imaginer qu'ils dureront tout le temps de notre vie terrestre... Nous pouvons croire que la durée de vie d'un amour dépend de notre volonté ou de nos bonnes intentions à le cultiver et à le voir se prolonger.

Nous découvrons avec douleur que les amours sont périssables, volatiles, susceptibles d'être blessées, meurtries, et donc appelées à se transformer ou à disparaître et nous avons du mal à apprivoiser cette insécurité incontournable.

Et quand nous pouvons apprendre à reconnaître et à accepter la part de risque et d'imprévisible de tout amour, nous devenons des funambules de l'amour. Nous en venons à constater que l'amour nous apporte peut-être moins de sécurité que ce que nous en attendons, mais que pour garder son authenticité et son éclat il va sans cesse nous mettre en situation de nous interroger sur la réalité, la qualité et la teneur du lien qui nous lie à l'aimé. Il va nous contraindre aussi à rester dépendant du choix sans cesse réactualisé de l'autre. Nous découvrons alors que les pouvoirs de l'amour sont peut-être moins romantiques et prestigieux que ceux que nous lui accordons, mais que ses vertus, si elles ne sont pas toutes-puissantes, ont du moins le mérite, ô combien précieux ! de nous maintenir créatif et vivant dans le renouvellement.

Le désamour qui surgit parfois dans certaines relations amoureuses n'est pas inéluctable, mais il n'est pas non plus évitable, car s'il échappe au contrôle de la volonté, il échappe même au désir. En ce sens l'amour reste un mystère qui échappe à toute anticipation, catégorisation, contrôle ou prévision.

AVERTISSEMENT

Non, le fil n'est pas ce qu'on imagine. Ce n'est pas l'univers de la légèreté, de l'espace, du sourire. C'est un métier. Sobre. Rude. Décevant. Et celui qui ne veut pas mener une lutte acharnée d'efforts vains, de dangers profonds, de pièges, celui qui n'est pas prêt à tout offrir pour se sentir vivre, celui-là n'a pas besoin de devenir funambule.

Surtout il ne le pourrait pas.

Philippe Petit

Dans une dernière phase du cycle de l'amour, certains d'entre nous peuvent devenir amour. En se désencombrant, en clarifiant, en explorant, en déposant, en lâchant prise sur les peurs, les prises de possession et les missions. En se sentant relié à l'amour universel, en se vivant porteur d'un amour oblatif tourné vers autrui, hors du besoin d'aimer ou de celui d'être aimé, peut commencer une étape d'ouverture, de générosité, d'abondance qui nous donne un sentiment d'universalité, de globalité et de plénitude ouvrant sur une infinitude de possibles. Il s'agit bien d'un don qui s'offre et s'amplifie dans la gratuité, dans la non-attente d'une attention ou d'une réponse de l'autre. Il peut s'agir d'un état d'être, proche de la sagesse par l'ampleur de son humanitude.

Entre ombre et lumières.
Ainsi chemine notre vie
vers ces espaces infinis
où nos âmes soudain
après de longs détours
nous conduisent enfin
vers ces possibles d'Amour
longtemps ensommeillés
qui attendent pour éclore
l'aurore d'un été.

Anne Victoria Luminais

La liberté d'aimer

Ce petit clin d'œil, à l'automne de ma vie, pour tenter de rassembler l'essentiel de ce que j'aurais voulu te transmettre dans une vie de père.

Te le dire, ma chérie, avec les mots les plus simples.

Il faut avoir su créer en soi une immense liberté et un espace plein de possibles pour aimer, simplement aimer.

La liberté d'être et d'exister hors du champ du désir de l'autre.

Une liberté fondée sur la découverte que chaque amour est unique.

Il faut beaucoup de liberté parce qu'il faut beaucoup d'espace à l'amour pour qu'il grandisse. Pour permettre à deux plaisirs de se rencontrer, de s'accueillir et de s'amplifier pour devenir infinitude dans une bulle du temps échappée du passé et affranchie des contingences de l'avenir.

Il faut la liberté large et ouverte pour s'aimer dans l'amour vers l'autre.

Il faut une liberté pleine pour savoir engranger le doux et le bon dans l'intimité du partage.

Une liberté difficile, acquise aux risques des choix et dans la capacité de se définir.

Une liberté gagnée dans le lâcher-prise et le renoncement à la toute-puissance.

Il faut une liberté mouvante et fluide pour vivre sans exigences, oser recevoir et accueillir l'imprévisible en suspens dans la palpitation de l'intense.

Une liberté plus grande encore pour pouvoir donner sans contrepartie, offrir gratuitement, sans l'attente d'un retour, avec l'émotion du seul bonheur d'aimer.

Aimer ainsi est une provi-danse, c'est un élan qui t'anime, une quête qui te précède, c'est un état de grâce, une aile qui te porte.

Elle ne t'emporte pas, elle te dépose seulement au creux d'un miracle à créer.

- -

Quand on aime, on est déjà récompensé.

Christiane Singer

- -

En guise de conclusion.
Les mots de l'amour

Il y a en chacun de nous les mots de la vie et **les mots de l'amour** qui naviguent en aveugles à la recherche d'une île. Les uns sur les flots et les tempêtes du besoin de survivre, les autres dans les méandres du désir ou les dérives du rêve.

Si les mots de la vie sont la chair de l'existence, **les mots de l'amour** en sont la sève fertile. C'est pour cela qu'ils sont précieux, non seulement dans la fragilité d'une émotion, dans l'inquiétude d'une attente ou l'éphémère d'une déclaration, mais surtout, surtout par la vivance qu'ils suscitent et la trace durable qu'ils déposent chez ceux qui les découvrent et qui osent les offrir.

Les mots de l'amour épelés dans l'étonnement d'une rencontre ou lentement éveillés chez ceux qui les ont portés et laissés germer au creux de leur solitude, **les mots de l'amour** ont ce pouvoir ou cette faculté d'inscrire un peu d'éternité dans tous les instants d'une vie.

Les mots de l'amour viennent de plus loin que notre avenir. Ils sont semblables à une source qui ne cesserait de remonter à ses origines.

Est-ce la perle de rosée des premiers matins du monde ?

Ou l'envol d'un nuage chargé d'une pluie en devenir ?

Est-ce la rivière souterraine creusant son sillon dans les strates du temps ?

Le sourire d'un bébé accueilli par un regard émerveillé ?

Ou encore l'infime d'un geste accordé à la palpitation d'une attente ?

Je ne sais.

Et pourtant, tous ces possibles sont en moi, comme ils sont en toi et en chacun de nous, si nous savons en accueillir les prémices.

Les mots de l'amour chantent au profond de l'espérance avant même d'avoir été énoncés.

Les mots de l'amour sont des cadeaux pour l'avenir de chacun.

Pas d'amour sans mots d'amour, pas de mots d'amour sans la distance, distance minimale où les lèvres se disjoignent d'un baiser pour qu'une parole puisse être proférée, ou murmurée ; distance [...] d'où naissent les déclarations, les promesses d'amour et la poésie et la littérature et la prophétie et le chant et les paroles traduites, transmises, offertes, partagées avec tous, qui s'appellent la culture. La poésie est née le jour où, pour la première fois, les deux premiers amants se séparèrent.

Yves Prigent

Remerciements

Je ne ferai qu'évoquer ici tous les échanges et les confrontations multiples qui furent les nôtres, aux différents âges de la vie de mes enfants et de la mienne.

Ils furent nombreux, nourris, passionnés, parfois tumultueux et toujours stimulants pour moi.

C'est ainsi que nous avons cheminé, eux et moi.

Eux, sur les chemins de leur propre existence d'enfants, d'adolescents en recherche, puis de jeunes adultes aimés et aimants, de femmes et d'hommes engagés dans une relation de couple.

Moi, dans mes errances, dans mes rencontres et mes propres engagements.

Vous êtes aujourd'hui des femmes et des hommes dans la plénitude de vos possibles. Je suis à l'automne de ma vie.

Nous partageons toujours nos interrogations, avec peut-être plus de liberté et surtout plus d'humour.

L'amour reste un sujet inépuisable, toujours chargé d'émotions, de pudeurs, de mystères et aussi d'enthousiasmes et d'émerveillements.

♦ ♦ ♦

Je dédie ce texte à chacun de vous, mes enfants,
et à tous les ex-enfants qui s'interrogent sur les ombres
et les lumières de l'amour.
Merci de votre disponibilité et de votre écoute.

Petite bibliographie amoureuse sélective

Références romancées ou poétiques

Olympia Alberti
- *Bleu silence*, éd. du Ricochet, 1997
- *Cœur vivre*, Lettre à l'auteur
- *La Dévorade*, Albin Michel, 1985

Julos Beaucarne
- *J'ai 20 ans de chansons*, Didier Hatier/éd. Vent d'Ouest, 1987

Catherine Bensaid
- *Histoires d'amour, histoires d'aimer*, Robert Laffont, 1996

Christian Bobin
- *L'Inespérée*, Gallimard, 1994
- *Autoportrait au radiateur*, Gallimard, 1997
- *La Plus que vive*, Gallimard, 1996
- *Geai*, Gallimard, 1998

Alain Bouillet
- « Exposé sur l'économie libidinale du couple », *Émergences*, n°s 49-50, 1997

Jacques de Bourbon Busset
- *L'Audace d'aimer*, Gallimard, 1990
- *L'Amour confiance*, Gallimard, 1995

- *La Tendresse inventive*, Gallimard, 1996
- *Alliance*, Gallimard, 1997

Françoise Chandernagor
- *La Première Épouse*, éd. de Fallois, 1998

Philippe Delerm
- *Le Bonheur. Tableaux et bavardages*, éd. du Rocher, 1998

Assia Djébar
- *Les Nuits de Strasbourg*, Actes Sud, 1998

Pascal Guignard
- *Vie secrète*, Gallimard, 1998

Alexandre Jardin
- « La maîtresse est une femme », in *Histoires d'enfance*, Robert Laffont, 1998

Charles Juliet
- *Trouver la source*, Paroles d'Aube, 1992

Anne Victoria Luminais
- Lettre à l'auteur

Colette Nys-Mazure
- *Contes d'espérance*, Desclée de Brouwer, 1998

Jean d'Ormesson
- *Du côté de chez Jean*, Gallimard, 1978

Erik Orsenna
- *Longtemps*, Fayard, 1998

Philippe Petit
- *Traité du funambulisme*, Actes Sud, 1997

J.-B. Pontalis
- *L'Enfant des limbes*, Gallimard, 1998

Yann Queffélec
- « La nuit où Zoé retint son souffle », in *Histoires d'enfance*, Robert Laffont, 1998

Rainer Maria Rilke
- *Lettres à un jeune poète*, in *Œuvres complètes*, Le Seuil

Jacques Salomé
- *En amour, l'avenir vient de loin*, Albin Michel, 1996
- *Paroles d'amour*, Albin Michel, 1995
- *Je m'appelle toi*, Albin Michel, 1990
- *Tous les matins de l'amour... ont un soir*, Albin Michel, 1997
- *Apprivoiser la tendresse*, éd. Jouvence, 1988
- *Éloge du couple*, Albin Michel, 1998

Christiane Singer
- *Du bon usage des crises*, Albin Michel, 1996
- *Une passion*, Albin Michel, 1992

Jules Supervielle
- *L'Arche de Noé*, Gallimard, 1938

François Tosquelles
- « La fonction paternelle ré-interrogée par la séparation des parents », *Émergences*, n°s 49-50, 1997

Références sous forme d'essais

Francesco Alberoni
- *Le Vol nuptial, l'imaginaire amoureux des femmes*, Plon, 1994
- *« Je t'aime ». Tout sur la passion amoureuse*, Plon, 1997

Maurice Berger
- *L'Enfant et la souffrance de la séparation*, Dunod, 1997

Léo Buscoglia
- *S'aimer ou le défi des relations humaines*, Le Jour, 1985

Nina Canault
- *Comment paie-t-on les fautes de ses ancêtres ?*, Desclée de Brouwer, 1998

André Comte-Sponville
- *L'Amour la solitude*, Paroles d'Aube, 1992

Jean Cornut
- *Paradoxes de l'amour*, Cercle d'étude psychanalytique de Savoie, 1995

Geneviève Hone/Julien Mercure
- *Les Saisons du couple*, Novalis, 1993

Ronald D. Laing
- *Est-ce que tu m'aimes ?*, Stock, 1978

Pierre Legendre
- *Les Enfants du texte*, Fayard, 1992

Jean-Yves Leloup
- *Aimer malgré tout*, Dervy, 1999

Robert Neuburger
- *Nouveaux couples*, Odile Jacob, 1998

Willy Pasini
- *À quoi sert le couple ?*, Odile Jacob, 1996

Yves Prigent
- *Vivre la séparation*, Desclée de Brouwer, 1998

Paule Salomon
- *Le Couple intérieur*, Albin Michel, 1998

Serge Tisseron
- *Secrets de famille, mode d'emploi*, Ramsay, 1996

Jeanne Van den Brouck
- *Manuel à l'usage des enfants qui ont des parents difficiles*, Le Seuil, 1982

Table

Chez d'autres éditeurs

Supervision et formation de l'éducateur spécialisé, éd. Privat, 1972 (épuisé).

Parle-moi, j'ai des choses à te dire, éd. de l'Homme, 1982.

Les Mémoires de l'oubli (en collaboration avec Sylvie Galland), éd. Jouvence, 1989.

Si je m'écoutais... je m'entendrais (en collaboration avec Sylvie Galland), éd. de l'Homme, 1990.

Aimer et se le dire (en collaboration avec Sylvie Galland), éd. de l'Homme, 1993.

Je t'appelle tendresse, éd. l'Espace Bleu, 1984.

Relation d'aide et formation à l'entretien, Presses universitaires de Lille, 1987.

Apprivoiser la tendresse, éd. Jouvence, 1988.

Jamais seuls ensemble, éd. de l'Homme, 1995.

Une vie à se dire, éd. de l'Homme, 1998.

Le Courage d'être soi, éd. du Relié, 1999.